A son corps défendant

SUZANNE FORSTER

A son corps défendant

COLLECTION *Audace*

éditions Harlequin

Cet ouvrage a été publié en langue anglaise sous le titre :
BRIEF ENCOUNTERS

Traduction française de
FRANCINE MAIGNE

HARLEQUIN®

est une marque déposée du Groupe Harlequin
et Audace® est une marque déposée d'Harlequin S.A.

Toute représentation ou reproduction, par quelque procédé que ce soit, constituerait une contrefaçon sanctionnée par les articles 425 et suivants du Code pénal.
© 2003, Suzanne Forster. © 2004, Traduction française . Harlequin S.A.
83-85, boulevard Vincent-Auriol, 75013 PARIS — Tél. : 01 42 16 63 63
Service Lectrices — Tél. : 01 45 82 47 47
ISBN 2-280-17444-8 — ISSN 1639-2949

1.

— Tout ce que je souhaite, ce sont quelques hommes capables de se déshabiller de façon sexy. Est-ce trop demander ? répétait, pour la énième fois, Swan Mc Kenna au téléphone à son assistant, Gérard Nichols.

Swan poussa un grand soupir en repoussant une mèche de cheveux derrière son oreille. Elle avait examiné des mannequins à demi nus une bonne partie de l'après-midi, mais elle n'avait toujours pas trouvé la brochette de mâles superbes qui pourraient mettre en valeur la ligne de sous-vêtements masculins qu'elle avait dessinée. Le temps pressait : le défilé de sa première collection devait avoir lieu le lendemain soir devant tout le gratin des journalistes de mode de Los Angeles.

Elle avait travaillé dur avec son associée, Lynne Carmichael, avant de pouvoir créer Brief Encounters, leur compagnie spécialisée dans les sous-vêtements masculins. Et elle savait pertinemment qu'une seule mauvaise critique pouvait les renvoyer à la case départ.

— Gérard, j'ai juste besoin d'un homme qui sache bouger et sourire, gémit-elle, faisant les cent pas dans le grand salon de la villa de style italien qui était devenue récemment le quartier général de Brief Encounters.

Gérard se trouvait dans le hall de la villa et était chargé de recevoir et d'effectuer le premier tri des mannequins qui se présentaient.

— Pour le moment, j'ai en magasin un pompier, un cow-boy, récitait Gérard. Nous avons même droit à un marquis de Sade. Je te l'envoie, Swan ?

— Gérard !

— Je t'assure, Swan, le marquis a l'air très drôle, tu es sûre que tu ne veux pas le voir ? insista son assistant.

— Je n'ai jamais été aussi sûre de quelque chose, Gérard.

Il y eut un bref moment de silence puis Swan entendit Gérard à l'autre bout du fil émettre un soupir appréciateur avant qu'il ne reprenne la parole :

— Swan ! Le réparateur de téléphone qui vient juste d'entrer est à mourir. Je te jure, à mou-rir !

Malgré la tension qu'elle sentait monter le long de sa colonne vertébrale, Swan ne put s'empêcher d'éclater de rire. Gérard devait être aux anges. Lorsqu'il était entré pour la première fois dans son petit bureau à Manhattan Beach, il s'était présenté de la manière suivante : « Bonjour, je m'appelle Gérard Nichols et je suis gay. » Ensuite seulement lui avait-il dit qu'il venait pour le poste d'assistant qui était à pourvoir. Il avait réussi à la convaincre qu'il était l'homme qui saurait se rendre indispensable.

Et il l'était devenu. Elle aurait été perdue sans lui.

— Essayons le réparateur de téléphone, dit-elle. Le cracheur de feu que tu viens de m'envoyer était complètement nul. Je ne veux aucun pitre de ce genre, d'accord ? Et encore moins d'animaux, surtout des serpents.

— Mais Swââan…

— Pas question, Gérard. Aucun animal, rien qui ait plus de deux jambes, rien d'inflammable, et rien qui soit susceptible d'exploser. C'est un défilé de mode, bon sang ! De plus, je suis en retard dans le paiement de l'assurance. Je ne suis même pas certaine que nous soyons couverts en cas de pépin.

Elle l'entendit soupirer. Gérard aimait le grand spectacle et pensait que leurs défilés avaient besoin d'être enrichis par des effets spéciaux.

Elle raccrocha et se replongea dans les diverses photos apportées par les mannequins étalées sur la table basse qui lui servait de bureau. La plupart débutaient dans le métier parce que Brief Encounters n'était pas encore assez riche pour se payer des mannequins professionnels. Ils avaient accepté de travailler bénévolement, espérant que la couverture médiatique qu'ils obtiendraient leur permettrait de se faire connaître.

Sentant venir la migraine, Swan se passa la main sur le front. Août était généralement le mois le plus chaud de l'été, même en bord de mer, et leur villa, qui datait d'une bonne cinquantaine d'années, n'avait pas l'air conditionné. Elle avait beau s'être habillée très légèrement, elle avait encore trop chaud. Même nue, la température lui aurait encore paru trop élevée.

Le pire était qu'elle n'était pas censée s'occuper du casting. C'est Lynne qui avait eu l'idée de cette soirée, espérant engranger beaucoup de publicité. C'était une excellente idée et Swan avait été tout de suite d'accord, mais son amie était plus douée qu'elle pour ce genre de choses. C'était d'ailleurs pour cette raison que Lynne s'occupait des ventes, du marketing, et des relations publiques tandis que Swan s'occupait de l'organisation générale et de la gestion. C'était également elle qui dessinait la plus grande partie de la collection, mais mis à part quelques rendez-vous pour les essayages, elle n'avait guère l'occasion de rencontrer les mannequins.

Lynne aurait dû être de retour pour s'occuper du recrutement des modèles, mais elle avait appelé de San Francisco et laissé un message, disant qu'elle était sur une grosse affaire et qu'elle rappellerait plus tard, pour lui en expliquer les détails. Lynne adorait faire des mystères, mais à la veille de leur premier grand défilé, Swan songea avec agacement que ce n'était vraiment pas le moment.

La porte s'ouvrit et elle vit apparaître le réparateur de téléphone, poussé par Gérard, qui lui fit un clin d'œil avant de ressortir. Le mannequin regarda tout autour de lui, comme s'il ne savait pas ce qu'il faisait ici. Mauvais signe.

Swan l'incita à approcher, mais il ne bougea pas.

— Je suis ici pour...

— Oui, je sais, dit-elle. Superbe costume. Vous êtes mon premier réparateur de téléphone, et je dois dire que je vous trouve pas mal.

Pas mal, tu parles ! Cet homme aurait pu lui installer le téléphone tous les jours, sans qu'elle n'y trouve à redire. Gérard avait raison, il était superbe ! Et si Lynne avait été là, elle n'aurait pas manqué d'approuver.

Il avait des jambes si longues que son jean avait sûrement été fait sur mesure. Ses épaules étaient bien carrées, et son sourire... ravageur. Un mâle dans toute sa splendeur. Elle sentit une vague de chaleur monter en elle. Etait-il possible qu'elle réagisse aussi spontanément à la présence de cet homme, ici, dans son salon ?

— Madame ?

Sa voix la fit émerger de sa torpeur. Que diable était-elle en train de faire ? Fantasmer ? Ici ? En plein jour ?

Elle secoua la tête et se ressaisit : la seule question qu'elle devait se poser était de savoir si cet homme savait danser.

— Le lecteur est par là, dit-elle en indiquant la minichaîne que Gérard avait installée sur une table basse. Vous pouvez y installer votre CD.

La chaleur avait maintenant envahi son visage, mais elle résista à l'envie de s'éventer, et continua à regarder les photos. Elle trouva celle d'un mannequin qu'elle avait envisagé de rappeler, et elle se dit qu'elle ferait bien de lui donner une note. Bien sûr, il n'y avait plus aucun crayon sur la table. Dès que les chaleurs d'août avaient commencé, elle avait pris l'habitude de relever sa chevelure auburn avec tous les crayons qui lui tombaient sous la main. Levant un bras au-dessus de sa tête, elle farfouilla dans ses mèches et en retira un crayon de papier. Par miracle, son chignon resta en place.

Elle releva les yeux pour découvrir le mannequin qui n'avait pas bougé d'un pouce.

— Vous n'avez pas amené de musique, c'est cela ? Ce n'est pas grave, dit-elle en se précipitant vers la minichaîne et en y introduisant un CD. A vous de jouer.

Aussitôt une musique endiablée envahit la pièce et elle commença à se balancer en rythme, pour l'encourager.

Quelques instants plus tôt, elle avait déjà dû danser avec l'un des mannequins, pour l'aider à se mettre en train, et apparemment elle allait devoir refaire la même chose. L'inconnu avait l'air timide, peut-être était-ce cela qui lui plaisait tant…

Il était vraiment superbe, songea-t-elle, se demandant ce qu'elle pourrait faire pour l'aider à trouver l'inspiration. Sa chemise bleu ciel moulait parfaitement son torse et ses jambes étaient parfaitement mises en valeur par son jean serré. Les poings posés sur les hanches, il ne semblait pas avoir envie de bouger. Attendait-il de trouver l'inspiration ? Il n'avait pourtant pas grand-chose à faire. Il lui suffisait de remuer légèrement les épaules pour que toutes les femmes tombent comme des mouches, en moins de deux secondes. En ce qui la concernait, elle était déjà prête à se pâmer. C'était le plus beau spécimen qu'elle ait vu de la journée. Il aurait pu vendre des sous-vêtements à une colonie de nudistes !

Il fallait qu'elle réussisse à le faire danser.

Bon, que ferait Lynne dans ce cas ? Ce n'était pas la première fois qu'elle se posait cette question lorsqu'elle avait un problème à résoudre. Son associée savait toujours comment réagir en toutes circonstances. Lorsqu'elle rencontrait un homme, elle s'arrangeait toujours pour attiser sa curiosité. Elle aimait flirter et provoquer. Chaque fois que Swan avait essayé de l'imiter, elle n'avait réussi qu'à s'attirer des ennuis…

Peut-être tenait-elle là une chance de s'entraîner.

Elle se leva et, courageusement, se dirigea vers le mannequin. Il n'était pas question d'hésiter. Tandis qu'elle s'approchait de lui, elle vit dans ses yeux qu'il avait l'air intrigué, et son sourire indiquait qu'il attendait la suite des événements. Peut-être n'était-il pas aussi timide qu'elle le pensait, finalement… Pendant une seconde, elle ne sut plus que faire, mais se ressaisit vite. Il fallait absolument qu'elle trouve des hommes sexy et sachant danser. Celui-ci serait-il capable d'exciter les femmes de son public ? Serait-il capable de leur donner envie d'acheter les sous-vêtements qui allaient être présentés durant leur défilé ?

— Peut-être puis-je vous aider, dit-elle. Détendez-vous et faites comme moi.

Elle ondula en rythme et il la regarda d'un air sceptique.

— Allez-y ! Vous pouvez le faire !

Elle commença à fredonner, continua à danser, mais l'homme ne bougea pas. Que se passait-il ? Pourquoi restait-il aussi immobile que le portier d'un grand hôtel ?

Elle soupira et posa ses mains sur les hanches de son partenaire, l'encourageant à bouger en rythme. C'était exactement ce que Lynne aurait fait, songea-t-elle, mais apparemment, avec elle cela ne fonctionnait guère. Son cœur battait aussi fort que la musique. Soudain le mannequin commença à remuer les hanches.

— Voilà c'est ça, continue, chéri ! Continue !

Chéri ? Que lui arrivait-il ? Elle perdait la tête…

Elle n'osait plus le regarder. Si jamais elle levait les yeux vers lui, il ne manquerait pas de remarquer le rouge qui lui montait aux joues. Elle resserra un peu plus sa prise sur ses hanches et continua à l'encourager. Mais qu'arrivait-il à sa voix ? Elle avait l'impression de croasser.

— Madame ?

— Ne dites rien, je crois que vous commencez à trouver le rythme.

Elle avait les yeux tellement fixés sur ses hanches qui ondulaient en rythme, qu'elle aurait presque pu compter les dents de sa fermeture Eclair. Inutile d'avoir des rayons X pour deviner ce qui se cachait sous sa braguette.

— Vous êtes vraiment sexy, dit-elle dans un souffle.

Que se passa-t-il exactement ensuite ? Elle n'aurait su le dire. Soit ses mains glissèrent et l'attirèrent vers elle, soit ce fut lui qui se rapprocha… Quoi qu'il en soit, ils se retrouvèrent soudain collés l'un à l'autre.

— Comme ça ? demanda-t-il.

Surprise, Swan recula d'un pas. S'était-il vraiment plaqué contre ses cuisses ? Finalement ce jeune homme ne semblait pas avoir besoin d'aide. Il savait exactement quoi faire.

— Parfait, dit-elle, vous êtes en progrès.

A présent, elle rougissait jusqu'aux cheveux. Pourtant elle se força à le regarder droit dans les yeux et à le fixer jusqu'à ce qu'elle se calme. Il avait toujours l'air intrigué, mais à présent elle savait qu'il n'avait absolument rien d'innocent. Bon sang ! Ils étaient ici pour travailler, et elle avait un défilé à organiser. Son futur de styliste risquait de se jouer sur le spectacle et les critiques que les journalistes ne manqueraient pas de faire. Il fallait absolument qu'elle se reprenne ! Lynne, elle, ne perdrait pas pied ainsi, et aurait tout de suite su remettre cet homme à sa place.

— Pas mal, dit-elle d'un petit air qu'elle espérait sardonique. A présent enlevez ce jean et montrez-moi ce que vous savez faire.

Lynne aurait été fière d'elle.

Cependant le réparateur de téléphone était toujours hésitant, et elle commença à s'impatienter. Tous les autres mannequins avaient eu un bref mouvement de recul eux aussi. Pourtant, il lui était difficile de les blâmer ; elle-même aurait été complètement incapable de faire un strip-tease devant un public.

« Il ne s'agit que de travail, songea-t-elle, tu n'es pas en train de lui demander de te révéler ses plus profonds secrets. Tout ce que tu lui demandes c'est de se déshabiller, et de mettre en valeur les sous-vêtements de ta collection. »

— Très bien, je vais vous aider, dit-elle, mais ce sera la dernière fois.

Tous les mannequins venus au casting étaient censés porter les sous-vêtements de sa marque sous leurs costumes.

Elle se rapprocha de lui, détacha lentement la ceinture de son jean, et la laissa tomber à terre. La boucle fit un bruit métallique en touchant le sol.

Waouw ! Lorsqu'il ferait ce geste sur le podium, les femmes se mettraient à hurler d'excitation. Elle en était sûre. S'il faisait autant d'effet sur son public qu'il en faisait sur elle, sa collection dépasserait toutes les prévisions de vente dès le premier défilé.

Un air de disco emplissait la pièce et l'homme continuait à se déhancher. Il leva les mains au-dessus de sa tête comme s'il voulait que Swan lui fasse les honneurs. Elle s'y résolut, se demandant quelle audace incontrôlable s'était emparée d'elle. Baissant les yeux vers sa braguette, elle défit lentement le bouton, puis fit glisser la fermeture Eclair.

— Je ne pourrais pas faire cela sur le podium, l'avertit-elle.

Après tout, pourquoi pas ? Cela ferait un vidéo-clip du tonnerre ! Au beau milieu des défilés, un des mannequins ferait mine de ne pas pouvoir se déshabiller, et la créatrice de la ligne viendrait le rejoindre sur le podium pour l'aider. Quelle idée géniale !

Bon sang ! Lynne, reviens ! Je ne sais même pas si je suis en train d'avoir une idée géniale, ou si je suis en train de perdre complètement la boule.

Son jean était ouvert, mais il fallait encore qu'elle le fasse glisser sur ses hanches. Il lui fallut quelques instants pour y parvenir, et emportée par son élan, elle se baissa pour tirer sur le tissu et laisser tomber le jean à terre. Embarrassée, elle se retrouva à genoux devant l'homme, les yeux levés sur son entrejambe. Et c'est alors qu'elle s'aperçut qu'il ne portait pas un sous-vêtement de sa collection.

En fait, il ne portait *pas* de sous-vêtement du tout…

C'était son sexe qu'elle contemplait ! Cette partie de l'anatomie masculine qui devait justement être couverte par ses créations. Durant un défilé, personne n'était supposé voir un sexe aussi… en forme que celui-ci.

Elle se trouvait toujours à quelques centimètres de son pénis, mais était bien trop choquée pour faire un seul mouvement. Elle restait plantée là, à genoux devant lui, haletante. Le pire était qu'elle sentait à présent de curieuses sensations l'envahir. Son corps entier se mit à frissonner et durant l'espace d'un instant, elle eut envie de toucher le sexe qui se dressait devant elle. Pas pour le caresser, non, juste par curiosité. Ce qu'elle voulait, c'était se rendre compte si sa peau était douce, si...

L'objet de son attention s'écarta soudain d'elle. Au même instant, la porte de la pièce s'ouvrit, et Gérard passa sa tête par l'entrebâillement.

— Swan ? Je t'envoie le prochain ? Oh, j'ai bien peur que non ! dit-il en refermant vivement la porte.

Swan savait parfaitement à quoi la scène devait ressembler. Soudain elle se rendit compte que la musique s'était arrêtée. A présent, il ne lui restait plus qu'à se remettre debout, à monter sur le toit de la villa et à se jeter dans le vide !

Le réparateur de téléphone tendit la main pour l'aider à se relever, mais elle l'ignora. Il avait toujours les fesses nues, ainsi que le reste. Mais pourquoi diable ce type se trimbalait-il nu sous son pantalon ?

— Madame ? Vous vous sentez bien ?

— Parfaitement, dit-elle en se redressant et en détournant la tête. Bon, je crois que je n'ai aucune chance de vous faire enfiler un caleçon et recommencer cette audition, n'est-ce pas ?

— Non, je ne crois pas. Je ne sais pas danser.

— Alors dites-moi, pourquoi êtes-vous ici ?

— Peut-être bien pour réparer le téléphone ?

Elle le regarda droit dans les yeux.

— Vous êtes vraiment un réparateur de téléphone ?

— J'en ai bien peur, dit-il.

— Oh, mon Dieu !

— Puis-je remettre mon pantalon à présent ?

Qu'avait-elle donc fait là ? Et que devait-elle faire à présent ? Devait-elle se rapprocher de lui et l'aider à enfiler son jean ? Heureusement, l'inconnu ne semblait pas particulièrement contrarié par le comportement ridicule qu'elle venait d'avoir. Il se pencha en avant, attrapa son jean et l'enfila. Au moment où il remettait sa ceinture, Swan commença à bredouiller un flot d'excuses. Il ne manquerait plus qu'elle soit poursuivie pour harcèlement sexuel ! Ni elle ni Lynne n'avaient besoin de ce genre de publicité pour Brief Encounters.

— Puis-je vous offrir quelques sous-vêtements de notre collection ? proposa-t-elle. Ou bien vous payer vos heures supplémentaires ?

Ciel ! Swan sentit qu'elle s'enfonçait de plus en plus. Ne risquerait-elle pas d'être accusée de tentative de corruption ? Où se situait la frontière entre le dédommagement et le détournement de fonctionnaire ? Que disait la loi à ce sujet ?

L'inconnu refusa ses propositions. Etait-ce une lueur d'amusement qu'elle décelait dans ses yeux si bleus ? Impossible à dire. Elle fut soudain distraite par la beauté de son visage et resta quelques instants à le contempler. Elle aurait donné n'importe quoi pour savoir s'il était attiré par elle. Son corps semblait effectivement éprouver du désir, mais peut-être ce qu'elle avait vu n'était-il qu'un réflexe purement physique. Néanmoins, elle était consciente de ne pas faire ce genre d'effet aux hommes, habituellement.

Il finit de s'habiller.

— Peut-être devriez-vous m'indiquer votre bureau ? Je pourrais enfin me rendre *vraiment* utile, dit-il avec un petit sourire. Quelqu'un a signalé un problème sur votre ligne téléphonique.

Swan n'était au courant de rien, mais ce devait être Lynne ou Gérard qui avait appelé le service de dépannage.

— Tournez à droite en sortant de cette pièce et traversez le vestibule, dit-elle. Vous ne pourrez pas le manquer. Il y a un poster géant d'un policier vêtu de sous-vêtements de notre collection, sur la porte.

L'homme se dirigeait vers la porte.

— Je suis tellement désolée, dit-elle, je croyais vraiment que vous étiez l'un des mannequins. Je vous assure, monsieur… ?

Il sembla hésiter un instant, et elle se demanda ce qu'il pensait de tout ceci.

— Peu importe, dit-elle en faisant un vague geste de la main. Je suis, heu… vraiment, vraiment désolée. Je suis extrêmement nerveuse.

Il se retourna vers elle.

— Il y a de quoi !

Sa voix était sensuellement grave. Il prit tout son temps pour l'examiner des pieds à la tête, la détaillant de façon indiscrète, comme s'il l'imaginait, elle, avec son pantalon baissé jusqu'aux chevilles, tandis qu'il se tiendrait à genoux devant elle. A cette idée, elle sentit son ventre se contracter. Des frissons parcoururent sa peau et lorsqu'il croisa de nouveau son regard, elle se sentit trembler de tout son corps. Cela faisait bien longtemps qu'elle n'avait pas éprouvé une telle sensation.

Soudain, un autre besoin s'empara d'elle. Elle devait absolument aller faire pipi ! Elle croisa les chevilles et sourit du mieux qu'elle put, vu les circonstances.

Il devait avoir remarqué sa gêne, parce qu'il sembla soudain se moquer d'elle.

— Peut-être ferions-nous mieux tous les deux de nous remettre au travail, suggéra-t-il.

La seconde d'après, il était parti. Swan gémit et se précipita vers la salle de bains qui se trouvait, heureusement, juste à côté du salon. La honte envahissait toujours son visage, mais au moins, dans cet espace intime aurait-elle quelques instants pour se reprendre.

Derrière elle, elle entendit Gérard l'appeler.

— Alors, Swan…

Elle s'arrêta net, se retourna et pointa un doigt dans sa direction.

— Pas un mot, Gérard, pas un seul mot !

— Si tu insistes, murmura-t-il.

Elle se précipita dans la salle de bains, et tandis qu'elle refermait la porte, eut la curieuse impression d'entendre Gérard faire référence au titre d'un film érotique. Elle n'avait nullement besoin de voir son assistant pour savoir qu'il devait arborer un sourire jusqu'aux oreilles. Elle crut même l'entendre se mettre à rire.

Robert Gaines, lui, ne riait pas du tout. Il avait une mission à accomplir. Il ferait mieux de ne pas penser à elle, mais ne pouvait s'en empêcher. En quelles autres circonstances, une superbe femme comme elle se mettait-elle à danser avec un inconnu, lui faisait baisser son pantalon, et se retrouvait à genoux devant lui ? Dans un tel moment, comment ne pas fantasmer ? Son souffle était si chaud sur ses cuisses et sa bouche était à quelques centimètres de…

Il sentit un tiraillement dans son bas-ventre…

Gaines, arrête de penser à elle et pense à ta mission !

Il prit ses outils en main et se mit au travail. Pourtant ses pensées ne cessaient de revenir à la belle brune. Dommage qu'il ne puisse pas prendre quelques leçons de danse avec elle. Elle pourrait lui apprendre comment bouger et lui, lui montrerait ce qui arrivait aux jeunes femmes qui décidaient de jouer avec des inconnus.

Il s'imagina détachant ses cheveux, les faisant descendre en cascade sur ses épaules, embrassant ses lèvres sensuelles jusqu'à ce qu'elles soient moites de désir. Il pouvait imaginer de nombreuses autres choses, mais son jean commençait de nouveau à le serrer à l'entrejambe, et il avait un travail à accomplir. Une mission. Rapidement. Avant que quiconque entre dans ce bureau et l'interrompe.

2.

Swan eut à peine le temps de s'enfermer dans la salle de bains que son téléphone portable se mit à sonner. Durant un instant elle songea à ne pas répondre, mais se souvint que Lynne avait promis d'appeler ; or elle avait vraiment besoin de parler à son associée. Elle décrocha, et n'eut même pas le temps de prononcer un mot.

— Son yacht, Swan, criait Lynne. Je suis sur son yacht ! Celui de Gvon Marcello ! Nous prenons le large dans quelques minutes !

— Que diable fais-tu sur son bateau ? J'ai besoin de toi ici !

Swan ne mentait pas. Lynne n'était pas seulement son associée en affaires ; elles étaient inséparables depuis leur enfance, partageant tout, spécialement leurs problèmes. Elles avaient accompli toute leur scolarité ensemble, et passé leur diplôme de fin d'études, jusqu'à ce que Swan reçoive une bourse pour étudier le dessin au Brooks Collège, tandis que Lynne poursuivait un MBA.

— Swan, écoute, c'est génial. J'ai montré notre collection à Gvon, et il l'adore. Il a même parlé de nous aider à lancer notre propre marque. Nous dessinerions pour lui, mais ce serait notre marque qui figurerait sur les vêtements. Et tu sais, il ne désire pas s'en tenir aux sous-vêtements. Il souhaite que nous dessinions une collection de vêtements d'intérieur, et peut-être également de sportswear, pour hommes et femmes. T'imagines, Swan ? C'est notre rêve qui devient réalité.

Swan faillit lui répondre que leur défilé était déjà un rêve qui prenait forme, mais elle jugea plus prudent de se taire avant d'en savoir plus sur le projet dont venait de lui parler Lynne.

— Comment l'as-tu rencontré ? demanda-t-elle, et que fais-tu sur son yacht ?

— Je suis allée à ce fameux défilé dont je t'avais parlé, celui organisé pour collecter des fonds pour une vente de charité. Un des mannequins m'a présenté à Gvon, et je lui ai montré les échantillons de notre collection que j'avais dans ma valise. A présent, il veut que nous parlions affaires, et il a proposé que nous le fassions sur son bateau... pardon, je veux dire sur son yacht.

— Lynne, est-ce vraiment ce dont nous avons envie ? Nous associer à quelqu'un, dépendre d'un financier ?

Elles avaient travaillé tellement dur pour garder leur indépendance. Contrairement à elle, Lynne avait de l'argent, mais cela n'avait jamais été un problème entre elles deux. Parfois, Swan se demandait si c'était à cause de leurs situations sociales respectives, qu'elles avaient chacune besoin de faire leurs preuves : Lynne parce qu'elle avait tant reçu de la vie, et elle-même parce qu'elle avait si peu reçu.

— Voyons, Swan, il ne s'agit pas de n'importe qui ! Je te parle de Gvon Marcello, le grand couturier ! Combien de jeunes stylistes comme nous auront droit à cette chance ? Le simple fait de pouvoir parler affaires avec lui est déjà une véritable aubaine.

Lynne n'avait pas besoin d'insister là-dessus. Swan était tout à fait consciente de l'opportunité, et Dieu savait qu'elles étaient rares dans leur métier.

— D'accord, d'accord, fais ce que tu peux, répondit-elle, et dès que tu en auras terminé, rapplique ici. Je te rappelle que la soirée a lieu demain.

Elle entendit un hoquet à l'autre bout de la ligne.

— Je ne serai jamais de retour demain soir, Swan. Nous partons pour une destination secrète, et Gvon refuse de m'en dire plus pour l'instant. Tu sais qu'il ne révèle jamais où il va, afin que la presse ne trouve pas.

— Alors, quand seras-tu de retour exactement ?

— D'ici à deux jours, trois tout au plus. Je sais que tout ceci semble complètement dingue, mais pense un peu à la chance que nous avons de pouvoir nous associer à un homme tel que lui.

— Tu l'as déjà dit !

— Oh ! là, là, Je crois que nous levons l'ancre. A présent, écoute-moi, Swan, c'est très important. Arthur Forrest m'a appelée : notre crédit a été accepté. Il faut que tu ailles à la banque demain matin, à 10 heures, et que tu prennes le chèque, Arthur t'attendra.

Le chèque ? Bon sang ! Elle l'avait oublié celui-là ! Sans cet argent, elle ne pourrait pas faire face à toutes les factures ni payer les frais de leur défilé.

— Il faudra que tu le signes de mon nom, continuait Lynne, mais ne t'inquiète pas, tu l'as déjà fait plusieurs fois, et nous n'avons jamais eu de problème. De plus, c'est Arthur qui s'occupe des crédits, et il fera le nécessaire.

— Ne t'inquiète pas, répondit-elle, je m'en occuperai. Amuse-toi bien, mais si tu n'es pas de retour pour le défilé de Los Angeles, je viendrai te chercher par la peau des fesses.

— Bon, j'ai l'impression que le casting s'est mal passé, c'est ça ? Si tu es dans la salle de bains, c'est que rien ne s'est déroulé comme tu le souhaitais.

— Tu sais, parfois les gens ont simplement besoin de satisfaire leurs besoins naturels. Je me trouvais déjà là lorsque tu as appelé.

Lynne soupira.

— C'était si mauvais que cela, Swan ? Raconte-moi.

— Oh, Lynne, c'était horrible. Je m'en suis prise au réparateur de téléphone, en croyant qu'il était l'un des mannequins.

Lynne se mit à rire.

— Eh bien, dis donc ! J'espère au moins qu'il était mignon.

— Mignon ? Ce n'est pas l'adjectif qui convient. Ce mec est un véritable appel au sexe.

— Waouw ! A ce point ?

— Des cheveux sombres, des yeux bleus, et les jambes les plus longues que je n'ai jamais vues ! Exactement mon type.

— Je ne savais pas que tu avais un type d'homme.

— Moi non plus.

Swan soupira, parfaitement consciente qu'elle ne reverrait plus jamais son bel inconnu. Lynne, elle, aurait pris sa carte de visite et ne l'aurait jamais laissé partir avant de connaître au moins le montant de son compte en banque. Elle aurait certainement même eu l'occasion d'échanger un petit baiser avec lui.

— Eh bien ! On dirait que c'est toi qui t'amuses, vilaine ! Mis à part le réparateur téléphonique, comment s'est passé le casting ?

— Je n'ai toujours pas trouvé un seul homme qui soit capable de danser et de se déshabiller en même temps. Je ne m'étais jamais rendu compte combien c'était difficile. Nous aurions vraiment dû appeler l'agence de mannequins plutôt que de laisser Gérard nous amener ses amis.

— Dans ce cas, appelle l'agence de mannequins.

— Et comment proposes-tu que nous les payions ?

— Grâce au chèque qu'Arthur te remettra demain matin !

En entendant ces paroles, Swan se sentit immédiatement soulagée. Bien sûr, à présent, elles avaient l'argent nécessaire. Peut-être même pourrait-elle se permettre de payer à Gérard les heures supplémentaires qu'il avait effectuées. Quelle belle journée ! Enfin une petite lueur de soulagement à l'horizon. A présent, tout ce qu'il fallait, c'était que Lynne revienne et que le défilé commence.

— Il faut que j'y aille, dit Lynne, je crois que le yacht bouge.

— Fais attention à toi, répondit Swan.

Mais Lynne avait déjà raccroché. A présent, Swan était seule, et il faudrait qu'elle se débrouille sans son amie pour la soirée du lendemain, ainsi probablement que pour le défilé de Los Angeles. Les chances que Lynne soit de retour à temps étaient plutôt minces. Heureusement, l'indispensable Gérard serait à ses côtés.

« Toutes deux devaient également être reconnaissantes à Arthur Forrest », songea-t-elle. Lynne était sortie avec lui durant quelques mois, et c'était lui qui avait suggéré d'utiliser la villa comme garantie de leur prêt. La mère de Lynne et son beau-père avaient pris leur retraite et déménagé en Floride, lui laissant la superbe demeure à disposition. Mais Lynne avait beaucoup de mal à en payer les charges très lourdes. L'an passé, Swan avait emménagé avec elle, afin de l'aider à faire face à toutes ses dépenses, et le premier étage de la villa avait été converti en bureaux. Néanmoins, chaque mois, leur budget était très serré.

L'horizon semblait s'améliorer grâce à une chaîne de vêtements, La Bomba, qui leur avait proposé de présenter leur collection en exclusivité, et de les promouvoir grâce à une tournée de défilés. Mais leurs coûts de production avaient grimpé en flèche, et elles avaient besoin de tout l'argent disponible. Arthur semblait s'être occupé de tous les documents en un temps record, et il semblait que le fait que Swan soit amenée à imiter la signature de Lynne ne le gêne pas. Swan n'était pas certaine d'avoir envie de savoir de quelle façon son amie avait réussi à mener le banquier par le bout du nez…

Elle jeta un coup d'œil à son reflet dans le miroir ovale au-dessus du lavabo en marbre, et n'apprécia pas ce qu'elle y vit : une jeune femme d'une trentaine d'années, qui avait sacrifié tout son temps à son travail. Ses yeux bleu marine étaient son meilleur atout, mais même leur ravissante forme en amande ne dissimulait pas sa fatigue. Sa longue chevelure auburn qu'elle attachait quotidiennement avec ce qui lui tombait sous la main, aurait peut-être eu besoin d'une coupe plus moderne…

Elle secoua la tête. Quoi qu'il en soit, tous les sacrifices qu'elles avaient faits pour développer leur affaire, en avaient bien valu la peine. Surtout maintenant. Oui, cela faisait un bon moment que Lynne et elle avaient réuni leurs forces pour arriver là où elles le souhaitaient.

Elles avaient grandi ensemble. Pat, la mère de Swan, avait travaillé pour celle de Lynne comme gouvernante. Toutes deux mères célibataires, elles s'étaient trouvé rapidement de nombreux points communs et, au fil du temps, leur relation professionnelle s'était transformée en une amitié solide. Plus tard, la mère de Lynne, Felicia, s'était remariée, mais elles étaient toujours restées proches. Dès qu'elle le pouvait, Pat s'envolait pour la Floride rendre visite à Felicia. Aujourd'hui, la mère de Swan travaillait toujours comme gouvernante, pour une autre famille fortunée. Sa tâche principale consistait surtout à superviser l'ensemble du personnel.

Swan devait beaucoup à sa mère. C'était elle qui lui avait enseigné comment coudre et assembler des vêtements. La petite fille qu'elle était à l'époque avait appris très rapidement, et elle avait même une fois confectionné un tailleur pantalon taillé dans un vieux jeté de lit en velours. C'était d'ailleurs à partir de ce moment-là qu'elle avait eu envie de devenir styliste. Mais sa mère aurait souhaité que Swan suive le même chemin qu'elle.

Travailler comme gouvernante est une excellente opportunité, avait-elle l'habitude de dire, tu auras toujours de quoi te nourrir et un toit sur ta tête. Prudente et craintive, Pat pensait que poursuivre ses rêves ne pouvait être source que de désillusions. Peut-être cet argument était-il justement la raison qui faisait que Swan ressentait le besoin de lui prouver qu'elle était capable de réussir son rêve. Elle savait que sa mère l'attendait au tournant, prête à déclarer : « Je te l'avais bien dit, ma petite fille… », et elle avait bien l'intention de démentir ces propos pessimistes !

Bon, si elle continuait à penser à tout ceci, elle ne sortirait jamais de cette salle de bains.

Elle entrouvrit la porte, et regarda à droite et à gauche avant de quitter la pièce. Quelque part dans leur immeuble se trouvait un réparateur de téléphone terriblement séduisant face auquel elle n'avait aucune envie de se retrouver.

Swan avait toujours trouvé l'atmosphère des banques un peu suffocante, mais ce matin tout était différent. Elle était excitée de se rendre à la succursale Manhattan Beach de la First National Heritage. Elle pénétra dans le hall marbré de l'immeuble et chercha Arthur des yeux. Où donc se trouvait-il ?

Elle l'avait déjà rencontré à plusieurs reprises, lorsqu'il fréquentait Lynne, mais elle ne savait pas grand-chose sur lui, à part qu'il s'occupait des crédits à la banque et que Lynne et lui étaient toujours proches. Arthur avait l'habitude de vous regarder droit dans les yeux et de vous serrer la main d'une poignée énergique, comme le ferait un ministre. Malheureusement, il lui faisait plus penser à un représentant de commerce qu'à un ministre. Durant la conversation, il parlait toujours très vite, n'omettant pas d'y glisser votre nom à plusieurs reprises, comme si vous étiez de vieux amis.

Soudain, elle le vit, sortant de l'un des bureaux. Elle agita la main dans sa direction, et Arthur s'approcha d'elle, un large sourire aux lèvres. Si on aimait le style banquier, Arthur n'était pas mal dans son genre, mais il n'arrivait pas à la cheville du réparateur de téléphone.

Pourquoi diable se mettait-elle soudain à penser à lui ? Pourquoi ne réussissait-elle pas à se l'ôter de l'esprit ? La nuit dernière, elle avait même rêvé de lui, et la plus torride des vidéocassettes érotiques n'aurait pas été à la hauteur de ce qu'elle avait vu dans ses songes. En y pensant, elle sentit son cœur battre la chamade.

— Mon bureau est par ici, dit Arthur, totalement inconscient des pensées qui occupaient l'esprit de Swan, en l'orientant vers l'une des portes. Installe-toi, nous allons nous occuper de votre prêt tout de suite.

Swan s'assit sur une chaise recouverte de cuir et sourit à Arthur. Elle essaya de chasser le réparateur de téléphone — dont elle ne connaissait même pas le nom — de son esprit et se força à se concentrer sur la pièce, dont la taille et la décoration étaient impressionnantes. Le bureau d'Arthur semblait être en acajou, et les murs étaient recouverts du même lambris. Apparemment Arthur se portait bien et sa

28

situation était prospère. Est-ce que ce qu'elle voyait briller à son poignet était une Rolex en or ?

— Je t'assure que Lynne et moi apprécions vraiment ce que tu fais, dit-elle. Je regrette simplement qu'elle ne soit pas là.

Arthur hocha la tête.

— Elle m'a parlé de Gvon. Si tout se passe bien, et je sais que cela sera le cas, l'année prochaine je suis certain que vous pourrez présenter votre collection directement à New York, devant les acheteurs les plus importants.

Arthur avait l'air très compréhensif quant aux voyages que Lynne effectuait en compagnie d'un autre homme, mais puisque l'intérêt de Gvon semblait se limiter à leur collection, l'honneur était sauf.

Arthur sortit plusieurs documents de son tiroir et les fit glisser sur son bureau, face à Swan. Bien qu'ils soient seuls tous les deux dans son bureau, il baissa néanmoins la voix.

— Il faut juste que tu imites la signature de Lynne sur ces documents. Puisque nous avons sa permission, il n'y a aucun problème. Normalement, ce dossier va être rapidement archivé, et plus personne ne le regardera.

Swan soupira. Si seulement elle pouvait prendre tout ceci aussi calmement que Lynne et lui. Néanmoins, il n'y avait pas d'autres solutions. Elles avaient besoin de l'argent tout de suite.

— Très bien, dit-elle. C'est vrai que Lynne et moi avons l'habitude de signer le nom l'une de l'autre sur de nombreux documents. Mais c'est la première fois que je vais le faire sur un contrat de prêt de cette importance.

Arthur sortit un stylo Mont-Blanc de sa poche et le lui tendit.

— Tout ira très bien, Swan, ne t'inquiète pas. Signe ici et là, dit-il en lui montrant les emplacements appropriés.

Contrairement à sa propre signature, qui était très détaillée, celle de Lynne était un flamboyant barbouillage, complètement indéchiffrable, qui correspondait parfaitement à sa personnalité. Arthur lui présenta ensuite le document mentionnant que la villa servait de garantie. Swan leva un instant la main pour s'entraîner dans le vide puis posa le stylo sur le papier et signa du nom de Lynne.

— J'espère qu'il n'y aura aucun problème à cause de cela, dit-elle. Lynne serait complètement désespérée si elle devait perdre cette villa. Tu sais qu'elle est dans sa famille depuis des générations.

Arthur se contenta de sourire et réunit tous les documents.

— Crois-moi, vous êtes à présent toutes les deux en route vers le succès.

— Si seulement tu étais l'un de nos acheteurs, dit Swan en le regardant ranger les documents dans un dossier.

Il ouvrit un tiroir et en sortit un chèque, ainsi que ce qui semblait être un livre en cuir.

— Alors, quel effet cela fait-il ? demanda-t-il en lui tendant le chèque.

Elle retint son souffle et baissa les yeux sur le chèque.

Cent mille dollars.

Swan sentit ses mains trembler.

— J'ai fait fabriquer cet agenda spécialement pour votre tournée, dit Arthur en lui tendant ce qu'elle avait cru être un livre en cuir. Le nom de votre société est gravé en relief sur les pages, et il y a un carnet de commandes numérique, inclus à l'intérieur, afin que vous gardiez une trace de vos ventes, qui ne vont pas manquer de monter en flèche.

Mentalement, Swan se représenta le vieil agenda enfoui au fond de son sac, qui était prêt à tomber en loques. Celui qu'Arthur lui tendait était magnifique. Le papier en était luxueux et le nom de leur société était magnifiquement gravé. L'agenda comprenait effectivement un minuscule ordinateur pour enregistrer leurs commandes. Tout ceci avait dû coûter plusieurs centaines de dollars.

— Merci ! s'exclama-t-elle. Il est superbe. Lynne l'appréciera tout autant que moi, j'en suis sûre.

— Eh bien, dès qu'elle reviendra, je propose que nous allions dîner tous ensemble. C'est moi qui vous invite.

Swan secoua la tête négativement.

— Non, c'est nous qui t'inviterons pour te remercier du chèque. Tu t'es vraiment bien occupé de notre affaire.

— Quel homme sensé refuserait de donner leur chance à deux femmes aussi superbes ?

Swan rangea l'agenda et le chèque dans son sac. Arthur se leva pour la raccompagner, mais ils avaient à peine atteint la porte de son bureau, que le téléphone sonna. Swan le remercia rapidement et traversa le hall d'entrée, se dirigeant vers la double porte de verre qui conduisait au-dehors où le soleil était aveuglant.

« A présent, il n'était plus question de reculer », se dit-elle.

Quelques instants avant que la réception ne commence, Swan s'accorda un moment de répit dans le patio pour profiter du spectacle enchanteur des jardins de la propriété. Elle prit le nouvel agenda en cuir que lui avait offert Arthur, où elle avait noté quelques commentaires pour le défilé et inspira profondément. Gérard s'était surpassé. Elle ne pouvait même pas imaginer comment il avait pu réaliser un aussi magnifique travail avec le budget ridicule qu'elle lui avait alloué. Un grand buffet avait été dressé au centre duquel trônait une fontaine à champagne. Des lanternes japonaises multicolores diffusaient une douce lumière sous le ciel étoilé. Au fond du jardin, Gérard avait fait installer un podium, mis en valeur par de délicates lumières blanches. Tout était absolument superbe.

— Alors, ça te plaît ? demanda Gérard qui venait de grimper les marches et la rejoignait.

Il prit un instant pour examiner la tenue de Swan et lui décerna un clin d'œil d'approbation. Elle portait un petit top de soie noire avec une jupe coupée en biais qu'elle avait confectionnés quelque été auparavant, se demandant si elle aurait jamais l'occasion de les porter. Ce soir était l'occasion ou jamais.

— Gérard, c'est magnifique ! Comment diable as-tu fait pour mettre en place un tel décor ?

— Oh, très facile ! Un petit peu de ceci, un petit peu de cela, et une bonne partie de shopping dans les boutiques bon marché.

— Je ne te remercierai jamais assez. Pas seulement pour ce soir, mais pour tout ce que tu as accompli ces derniers jours. Je n'y serais jamais arrivée sans toi.

— Tout le plaisir est pour moi. Bon, nos invités vont arriver d'une minute à l'autre, et c'est à toi de les recevoir. Une fois que tu auras salué tout le monde, qu'ils auront commencé à grignoter, à boire, et à discuter les uns avec les autres, je prendrai le micro et présenterai la collection.

Consciente de l'enjeu de la soirée, Swan sentit tout à coup la panique la gagner. De plus, elle se sentait toujours tourmentée par les pensées érotiques qui l'assaillaient jour et nuit, la mettant en scène avec ce fameux réparateur de téléphone. Elle ne savait jamais quand les images osées allaient lui venir à l'esprit, et cela la mettait de plus en plus mal à l'aise.

— Si seulement tu pouvais venir avec moi durant les voyages de présentation de la collection, dit-elle, je ne me sentirais pas aussi…

— Quoi ? Vulnérable ? Terrifiée ?

Swan hocha la tête.

— Le tout à la fois.

Gérard prit sa main et la conduisit dans la maison. Ses talons aiguilles résonnaient sur les marches de marbre, et la soie de sa jupe crissait contre ses cuisses. Se sentir aussi élégante la rassurait. Alors que Gérard allait ouvrir la porte au premier de leurs invités, elle posa l'agenda sur l'une des tables.

« C'est parti ! songea-t-elle en inspirant profondément. »

La liste des invités avait été un véritable casse-tête. Le *Los Angeles Times* et le *Long Beach Press Telegramm* avaient tous deux envoyé leurs rédacteurs de mode. Des photographes des magazines *In Style* et *Details* devaient également être présents. Le risque était évidemment qu'ils descendent sa collection en flammes. Si des couturiers de renom pouvaient se permettre d'essuyer de mauvaises critiques, de jeunes créateurs pouvaient être éliminés d'un seul trait de mauvaise plume, surtout s'il s'agissait de leur première collection.

Outre la presse, la petite équipe qui avait travaillé avec Brief Encounters pour construire la collection, et la faire passer de l'état de croquis à des vêtements, avait été invitée, ainsi que les directeurs de la boutique La Bomba de Los Angeles. Swan avait également invité sa mère, mais Pat redoutait bien trop les risques que prenait sa fille dans sa carrière pour y assister. Elle craignait l'échec de sa fille, et ne souhaitait pas y assister en personne.

« Peut-être que tu te trompes, maman, pensa Swan. Avec tout le respect que je te dois, j'espère même que tu te trompes complètement. »

Après avoir salué chacun de ses invités, Swan commença à se mêler à la foule, puis traversa la maison et se dirigea vers les jardins. C'était une expérience incroyable de voir autant de visages souriants et d'entendre tous les commentaires excités et favorables sur ses nouvelles créations. Jane Hudson, la directrice de La Bomba, se précipita vers elle.

— Magnifique soirée ! dit-elle en lui serrant la main. Nous sommes impatients que vous veniez présenter votre défilé dans notre boutique. Tout est prêt.

Elle regarda autour d'elle.

— Où est votre associée ?

Swan n'avait pas le temps de lui expliquer. Déjà, Gérard l'appelait.

— C'est l'heure du défilé ! cria-t-il en agitant une main en sa direction.

— Bonne chance ! dit Jane alors que Swan s'éloignait.

Se dirigeant vers les coulisses, elle se remémora en silence toutes les consignes. Elle n'était pas habituée à parler en public, mais le défilé devait commencer, et c'était à elle qu'il incombait de le présenter. Heureusement, elle avait ses notes écrites dans l'agenda pour l'aider, si jamais elle avait un trou de mémoire.

« Pourvu que je m'en sorte, pria-t-elle en silence. »

Gérard tapota le micro dans sa main.

— Mesdames et Messieurs, dit-il, elle n'est pas seulement la styliste de la ligne de sous-vêtements masculins la plus sexy que l'on ait vue depuis longtemps, et qui sera en vente en exclusivité dans les boutiques La Bomba, mais elle est aussi notre maîtresse de cérémonie ce soir. Mesdames et Messieurs, voici Swan Mc Kenna.

La foule applaudit et Swan monta les deux marches afin de rejoindre Gérard sur le podium.

— Swan Mc Kenna ! répéta-t-il.

Il lui donna une légère tape d'encouragement dans le dos avant de disparaître derrière le rideau des coulisses.

— Merci à vous tous d'être venus, dit Swan légèrement essoufflée. Quelques-uns d'entre vous ont déjà remarqué que mon associée, Lynne Carmichael, n'est pas avec nous ce soir. Elle a dû effectuer un déplacement pour traiter une affaire de la plus haute importance, mais elle vous envoie toute son amitié et vous remercie de votre soutien.

Swan marqua une pause et sourit à l'assistance.

— A présent, j'aimerais vous présenter un aperçu de notre ligne de sous-vêtements masculins, Brief Encounters. Ceci est notre collection d'automne, et pour votre plus grand plaisir, vous aurez droit à la présentation des modèles Roméo, Héros, et Macho !

Au même moment, Gérard lança la bande-son et trois superbes mannequins surgirent des coulisses et s'élancèrent sur le podium. Derrière eux, projetées sur un écran de soie noire, apparaissaient des photos en couleurs des autres modèles de la collection automnale. Ces photos étaient une idée de Swan, et elles avaient contribué à réduire le nombre de mannequins nécessaires.

— Et pour commencer le show, voici Brad, notre Roméo de la soirée !

Brad s'avança sur le podium. Dans une main, il tenait un bouquet d'une douzaine de roses, et dans l'autre, une boîte de friandises en forme de cœur. Il portait une veste de smoking Armani, et pas grand-chose d'autre, c'est-à-dire un minuscule string rose. Soudain, Gérard lança son jeu de lumière, et même Swan eut le souffle coupé par l'effet produit. Durant quelques instants, tout ce que l'on pouvait voir sur le podium était le petit string rose qui semblait marcher tout seul, le reste de l'anatomie de Brad étant plongé dans le noir.

Les applaudissements des journalistes éclatèrent, nourris.

« Magnifique, Gérard ! Même dans mes rêves les plus fous, je n'aurais pas imaginé cela », pensa Swan.

Les flashes des photographes crépitèrent de toutes parts.

— L'imprimé Roméo est le plus romantique de notre collection, reprit Swan dans le micro. Chaque Roméo rencontrera sa Juliette s'il porte un sous-vêtement de la ligne Brief Encounters !

Tandis que Brad quittait le podium, le second mannequin entra en piste. Il portait le costume traditionnel des pompiers et avait une lance à incendie enroulée autour de ses épaules musclées.

— Pour les demoiselles en détresse, et pour toutes celles qui aiment les hommes en uniforme, voici notre héros !

De nouveau, une salve d'applaudissements éclata. Swan remarqua que plusieurs des femmes du public se levaient de leurs sièges pour avoir une meilleure vue sur Sam, le pompier. Son slip rouge était assorti à des bretelles noires et lorsqu'il arriva au bout du podium, il prit la pose, tira d'un coup sec sa lance à incendie de son épaule, et la pointa en direction du public.

— Qu'en pensez-vous, mesdames ? demanda Swan. Ce pompier n'est-il pas le plus sexy que l'on puisse imaginer ?

Sam quitta le podium et le troisième mannequin apparut sur scène, vêtu d'un maillot de bain noir minuscule qui sembla enflammer les esprits. De nouveau, un tonnerre d'applaudissements éclata et le jeune homme fit son numéro.

— Tout ceci n'est qu'un aperçu de notre collection, dit Swan. La ligne complète sera visible dès demain dans la boutique La Bomba de Melrose. De nouveau merci à vous tous d'être venus !

Elle prit son agenda et quitta le podium, soulagée.

Quelques instants plus tard, alors que les invités avaient quitté leurs sièges, elle se mêla à la foule, et fut de nouveau applaudie et félicitée chaleureusement par les invités, les uns après les autres. Elle commença alors à se rendre compte que la soirée était un succès. Les invités, professionnels et autres, semblaient très excités par le spectacle et ravis pour elle.

Les journalistes se précipitèrent pour lui poser de nombreuses questions. Swan répondait chaleureusement à chacun, savourant la première victoire de Brief Encounters, souhaitant silencieusement que Lynne fût là pour partager leur succès avec elle. Il fallait qu'elle trouve Gérard aussi, pour le remercier de tout ce qu'il avait fait. Néanmoins, elle était dans un tel état de nervosité, qu'elle sentit qu'il devenait urgent pour elle de se rendre aux toilettes. Elle se dirigea vers la maison. La salle de bains la plus proche se trouvait dans le hall d'entrée, sous le grand escalier. Elle s'y précipita. Elle actionna la poignée. Fermée !

Elle n'avait pas le temps d'attendre. Traversant le vestibule, elle entra dans l'une des chambres d'invités. La salle de bains était vide. L'un de ses amis, psychologue, lui avait dit que ces besoins urgents, qu'elle ressentait fréquemment, n'étaient rien d'autre qu'une réaction au stress. Cela n'avait évidemment rien de grave, mais avec toute l'anxiété accumulée ces derniers temps, cela commençait à devenir un problème.

Soudain, elle se rendit compte de son état de fatigue. Ces derniers jours avaient été un tourbillon d'activités, auquel elle avait fait face, mais à présent la fatigue semblait prendre le dessus. Quoi qu'il en soit, la soirée était allée au-delà de toutes ses espérances. En fait, c'était la soirée parfaite.

Néanmoins, elle se sentait vraiment épuisée. Elle aurait pu aller se coucher tout de suite. Fermant les yeux, elle chercha à tâtons le papier toilette. Quelques secondes plus tard, elle entendit un curieux bruit et ouvrit les yeux. Elle cligna des yeux plusieurs fois. Elle avait dû s'endormir quelques instants sur le siège des toilettes, parce qu'elle était en train de rêver qu'il y avait un homme dans sa salle de bains. Un homme grand, d'allure menaçante, et qui lui tendait un badge sous le nez.

— Swan Mc Kenna ? demandait-il. Vous êtes en état d'arrestation.

3.

Swan était interloquée.

En état d'arrestation ? Il plaisantait.

— Gérard ! appela-t-elle.

C'était certainement son assistant qui lui avait fait cette blague.

— Sortez de ma salle de bains ! cria-t-elle à l'inconnu, alors que Gérard ne donnait pas signe de vie.

Elle se pencha en avant à travers la porte entrouverte et cria de nouveau.

— Gérard ! Où es-tu ? Ce n'est pas drôle. Fais sortir cet officier de ma salle de bains. Le casting est terminé !

— FBI, madame, dit l'intrus. En ce qui me concerne, je ne vais nulle part sans vous. Et nous allons directement en prison, dit-il d'une voix dangereusement calme.

Elle ne pouvait même pas se lever pour lui demander de partir. En effet, elle était toujours assise sur les toilettes, collant et culotte baissés et jupe relevée. Cette petite mascarade devait être une farce que Gérard avait mise au point avec l'un de ses deux amis mannequins, même si l'homme qui se tenait devant elle ne ressemblait à aucun d'entre eux.

Elle plissa les yeux et le regarda attentivement. Il lui semblait bien l'avoir déjà vu quelque part.

— Si vous ne partez pas immédiatement, j'appelle la police !

Elle s'empara du balai en plastique des toilettes qui se trouvait à côté et le brandit dans sa direction.

— Madame, je suis la police.

De nouveau, il lui montra son badge.

— Robert Gaines, agent spécial du FBI. A présent, posez ceci et levez-vous. Doucement.

Elle le regarda si longtemps, que soudain elle se souvint de la fois où elle l'avait déjà vu.

— Je vous connais, haleta-t-elle. Vous ne faites pas du tout partie du FBI, vous êtes le réparateur de téléphone ! Que croyez-vous ? Que vous pouviez me duper simplement en changeant de déguisement ?

— Croyez-moi, mademoiselle Mc Kenna, ceci n'a rien d'un déguisement. A présent, posez cet instrument et levez les mains. Garde-les de façon à ce que je puisse les voir tout le temps.

Alors comme ça, ce n'était pas le réparateur de téléphone si sexy qui avait envahi ses rêves ces deux derniers jours ? C'était un agent du gouvernement ? Bon sang ! Tout ceci devait être un cauchemar. Tandis qu'elle scrutait sa chevelure sombre et ses yeux si bleus, elle se rendit compte de quelque chose. C'était bien lui, celui qui avait hanté ses pensées, et ce n'était pas ses mains qu'il regardait.

Elle suivit son regard et découvrit que ses yeux étaient posés sur ses cuisses, mises à nu par sa jupe relevée. Apparemment, les agents du FBI n'avaient rien contre le fait de se rincer l'œil, quand l'occasion se présentait. Elle reposa le balai et baissa sa jupe sur ses genoux.

— Ça ne vous dérange pas ? dit-elle. J'aimerais bien finir en privé.

— Désolé, madame, mais c'est impossible, dit une autre voix.

Swan regarda un peu plus loin ; un autre homme se tenait à la porte de la salle de bains. Il était aussi grand que Gaines, mais un peu plus costaud, et ses cheveux blonds coupés très court semblaient déjà se teinter de gris.

— Jo Harris, FBI, dit-il.

— Vous êtes nombreux comme ça ? demanda-t-elle. J'aimerais beaucoup terminer ce que j'ai à faire, toute seule.

— Swan ? Est-ce que tout va bien ?

Gérard apparut soudain derrière les épaules de Jo Harris.

— Qui sont ces hommes ?

— Oh non, gémit-elle, ne me dis pas que tu ne les connais pas non plus.

Gaines n'avait toujours pas détourné le regard de sa personne, et fait plus troublant encore, il ne s'en cachait absolument pas. Elle le regarda. Le jean et la chemise qu'il portait lors de leur première rencontre, avaient été remplacés par un costume sombre qui lui allait tout aussi bien.

Il lui jeta un regard d'avertissement, puis se tourna vers son partenaire.

— Je peux m'occuper de cela tout seul, Jo.

Jo n'avait pas l'air d'accord.

— Tu pourrais avoir besoin d'un témoin, au cas où la jeune dame se plaindrait que tu l'as brutalisée ou quelque chose du même genre.

— Je peux m'en occuper, insista Gaines. Ferme la porte et emmène son ami avec toi.

Harris entraîna Gérard avec lui et une fois que les deux hommes furent partis, Gaines bloqua la porte avec son pied.

— Allez-y, terminez ce que vous avez à faire, mais rapidement.

— Peut-être pourriez-vous quand même regarder de l'autre côté, dit-elle rageusement.

Il se tourna légèrement, lui indiquant par là, que même s'il ne la fixait pas du regard, il entendait bien garder toute son attention sur elle. Inutile d'espérer en attendre plus, comprit Swan, furieuse qu'il la traite de cette manière. Comment avait-il pu la laisser croire qu'il n'était qu'un pauvre réparateur de téléphone bourré d'hormones, alors que durant tout ce temps, il n'avait apparemment fait que la surveiller ? Un petit moment plus tard, elle se pencha en avant, se demandant si elle réussirait à remettre en place sa culotte et son collant en même temps. Cela n'avait jamais été le cas jusqu'à présent, mais il faut dire qu'elle ne s'était encore jamais trouvée sous la surveillance d'un agent du FBI, lors d'un acte aussi intime.

Elle commença à arranger sa culotte de soie et ses bas fins entre ses doigts, et à les relever sur ses mollets. Une fois qu'ils seraient assez haut, elle se baisserait rapidement, et les monteraient jusqu'à ses hanches. Au même moment sa jupe se baisserait, couvrant tout ce qu'il fallait. Cela pourrait fonctionner, mais l'opération était délicate.

Elle commença donc à se rhabiller et avait à peine relevé sa culotte à mi-mollet, qu'elle entendit Gaines pousser un soupir d'impatience. Elle voulut se dépêcher, mais sa culotte lui échappa et retomba sur les jambes de son collant. La présence de Gaines la rendait nerveuse et toutes ses tentatives pour se rhabiller correctement ne firent qu'empirer. Ses collants s'enroulèrent sur eux-mêmes et sa culotte se coinça dans leur élastique. Bon sang ! Elle n'avait plus qu'à tout recommencer.

— Allons-y ! dit Gaines.

— Attendez une minute !

Bondissant sur ses pieds, Swan rabattit sa jupe et essaya de remonter sa lingerie en même temps. Durant une seconde, elle pensa avoir réussi son opération, et se dépêcha plus encore. Elle ne voyait absolument pas ce qu'elle faisait, mais se tortillait autant qu'elle pouvait, espérant que culotte et collant se mettraient en place correctement.

Pourtant cela ne semblait pas être le cas, comme elle le sentit immédiatement. Elle avait besoin d'être seule. Gaines ne s'en rendait-il pas compte ? Elle se tortilla de nouveau en maugréant.

— Bon sang ! Mais qu'est-ce que vous êtes en train de faire ? demanda Gaines.

— J'essaie de cacher mon flingue, répliqua-t-elle d'un ton sarcastique.

Grossière erreur !

Apparemment, les officiers fédéraux n'avaient pas le moindre humour. D'un bond, Gaines vint se planter en face d'elle.

— Qu'est-ce que vous avez là-dessous ?

— Rien ! Juste mes sous-vêtements !

— C'est ça, oui ! Vous êtes en train d'essayer de dissimuler quelque chose dans votre culotte.

Swan lui lança un regard furieux.

— Je ne suis pas en train d'essayer de cacher quoi que ce soit dans ma culotte. Je suis en train d'essayer de la remonter. Et j'ai bien du mal !

Avant qu'elle n'ait eu le temps de prononcer une autre parole, elle sentit qu'il la retournait. Il lui avait attrapé le poignet, et le tenait fermement dans son dos. Elle tenta de se débattre, et aussitôt il lui bloqua les deux mains dans le dos.

— Hé ! Mais qu'est-ce que vous faites ? demanda-t-elle en sentant les menottes se refermer sur ses poignets.

— Nous allons éclaircir tout cela, et nous allons le faire maintenant !

Gaines la fit se retourner et la scruta en détail. Il remarqua qu'elle avait coincé sa jupe dans son collant, et devant son air perplexe, il était évident qu'il se demandait comment elle avait pu faire cela toute seule.

— Pour une styliste, on dirait que vous avez du mal à vous habiller.

Swan soupira, refusant de songer à l'image qu'elle devait donner d'elle en cet instant. Elle était bien trop mortifiée pour cela et il était certainement impossible de se sentir plus humiliée qu'elle ne l'était. Pourtant Gaines lui prouva le contraire.

— Il faut que je vous fouille, dit-il.

Swan secoua énergiquement la tête.

— C'est hors de question. Si je dois être fouillée, je veux que cela soit fait par une femme.

Gaines haussa les épaules.

— Parfait, dans ce cas, allons-y.

Il se dirigea vers la porte, mais elle ne bougea pas.

— Où voulez-vous que j'aille ? Je ne peux même pas marcher.

— Au quartier général. Si vous voulez un officier féminin, c'est là que nous devons aller.

Swan le fusilla du regard.

— Parfait, soupira-t-elle, dans ce cas fouillez-moi.

— Il faut que j'appelle mon partenaire, dit-il.

— Non ! Fouillez-moi, bon sang ! Allez-y, fourrez vos mains partout, examinez-moi de fond en comble, faites ce que vous avez à faire, et finissons-en !

— Merci pour toutes les options, dit-il d'un ton sec.

Il posa ses paumes sur sa taille et commença minutieusement à la fouiller d'une façon extrêmement professionnelle. Il procédait lentement, glissant ses mains sur chaque centimètre carré de son corps. Jamais il ne la toucha d'une façon inappropriée. Il ne parla pas non plus.

Pourtant, quelque chose en lui provoqua en elle ce qu'elle appela mentalement une réaction inappropriée. Etait-ce la douce pression de ses doigts, le parfum de son après-rasage, ou la chaleur de son souffle ? Bon sang ! Ses mains passaient vraiment partout, même à l'intérieur de ses cuisses.

Elle poussa un soupir de soulagement lorsqu'il eut terminé.

Apparemment satisfait de constater qu'elle ne cachait aucune arme sur elle, il fit un pas en arrière et contempla sa tenue.

— Vous voulez que je vous aide ?

— Volontiers.

— Bon, je crois que je vais devoir pratiquer une intervention quasi chirurgicale.

— Vous voulez dire que vous allez devoir couper mes sous-vêtements ?

— Ce que je veux dire, c'est que je vais essayer de démêler tout ceci, mais si je n'y arrive pas, il me faudra utiliser le plan B.

Il sortit un canif de sa poche et le posa sur la tablette du lavabo. Il commença à tirer sur son collant.

— Eh ! Arrêtez ! cria-t-elle. Qu'est-ce que vous êtes en train de faire ? Vous vous vengez parce que je vous ai fait baisser votre pantalon, l'autre jour ?

Gaines ne répondit rien, sur l'instant. Puis, il la fixa du regard, l'air perplexe.

— Je crois bien que nous allons devoir appliquer le plan B.

— Bon sang, ce n'est pas vrai ! Bon, puisqu'il le faut, prenez les ciseaux dans le tiroir, dit-elle en lui indiquant le meuble.

Quelques instants plus tard, il l'avait libérée de ses sous-vêtements emmêlés et elle soupira de soulagement. Elle leva les yeux vers lui, et constata qu'il la scrutait intensivement, les poings posés sur les hanches.

— Bon, dit-il, je vais vous retirer les menottes, mais je ne veux aucun problème, compris ?

Il attendit qu'elle hoche la tête. A l'instant où il lui libéra les mains, elle ajusta son top et sa jupe, comme pour retrouver un semblant de respectabilité.

— Tout ceci est particulièrement humiliant, rétorqua-t-elle d'une voix tremblante. Comment osez-vous pénétrer ici et m'accuser de... De quoi suis-je accusée exactement, au fait ?

— Nous vous arrêtons pour fraude bancaire, détournement de fonds, conspiration, et abus de signature. C'est plutôt grave.

Swan le regarda, bouche bée. Elle l'entendit lui déclamer ses droits, lui donner le droit d'appeler son avocat et lui préciser que tout ce qu'elle pourrait dire risquerait d'être retenu contre elle. Elle entendit chacune de ses paroles, mais les mots ne semblaient pas vouloir arriver jusqu'à son cerveau. Elle avait la curieuse impression d'être en train de se dédoubler. Etait-elle en état de choc ?

— Avez-vous compris vos droits ?

— Heu...

— J'ai besoin d'une réponse claire.

Elle leva les yeux vers lui et le défia du regard.

— Oui, j'ai compris mes droits, mais je sais également que je n'ai rien fait de mal. Vous et votre copain êtes en train de faire une terrible erreur.

— Vraiment ? Pourtant tout a été enregistré sur vidéo.

— Quelle vidéo ?

— Une vidéo de vous-même, contrefaisant une signature sur des documents de crédit, et sortant de la banque avec un chèque qui n'aurait jamais dû vous être délivré pour...

La banque ? Un chèque ? Jusqu'à cet instant précis, Swan s'était accrochée à l'idée qu'il s'agissait d'une plaisanterie douteuse ou d'une véritable erreur. Maintenant, avec une acuité qui la faisait trembler des pieds à la tête, elle comprenait ce qui était en train de se passer. Elle ne savait pas exactement ce qu'il entendait par « signature contrefaite », mais elle avait signé le nom de Lynne sur des documents de crédit, et d'une façon ou d'une autre, les fédéraux l'avaient appris. Et ça, c'était une charge sérieuse qui pesait contre elle.

Mais elle pouvait tout à fait expliquer pourquoi elle avait dû agir ainsi !

Elle se força à inspirer profondément, et même à sourire.

— C'est une erreur. Il vous suffit d'appeler Arthur Forrest à la First National Heritage. Il vous expliquera tout.

« Après une telle histoire, Arthur perdrait certainement son poste », se dit-elle. A moins que cela ne soit déjà fait. Elle n'avait aucune envie que cela arrive, mais elle ne souhaitait pas non plus faire un séjour en prison.

— M. Arthur Forrest a déjà été placé en détention provisoire. D'ailleurs, autant que vous le sachiez, il a déjà craqué et nous a tout avoué.

Stupéfaite, elle le regarda droit dans les yeux.

— Vous avez arrêté Arthur ? Qu'a-t-il fait ?

— Conspiré avec vous pour voler la First National Heritage.

— Non ! C'est complètement ridicule ! Lynne Carmichael et moi avons un prêt dans cette banque. C'est vrai, j'ai signé de son nom, mais j'avais sa permission, et elle est mon associée.

Gaines hocha la tête. Apparemment, il n'avait pas l'air particulièrement intéressé par ses explications.

— Arthur Forrest vous a donné quelques papiers aujourd'hui, ainsi qu'un agenda, dit-il. Un cadeau, je crois. Où est-il à présent ?

Swan le regardait, confuse.

— Quoi, l'agenda en cuir ?

— Oui.

— Il est juste ici, répondit-elle en le lui montrant du doigt, là où elle l'avait posé, sur le meuble bas.

Gaines prit une paire de gants en latex dans la poche de son manteau, et les enfila. Puis, il s'empara de l'agenda, y jeta un coup d'œil, et ouvrit la porte de la salle de bains d'un seul coup.

— Hé, Jo ! Veux-tu venir me servir de témoin ?

D'où elle était, Swan vit Gérard assis sur une chaise dans un coin de la chambre. Il avait l'air abattu et effrayé. Jo Harris se tenait devant lui, prenant des notes sur un carnet. Gérard jeta un coup d'œil dans sa direction, et hocha les épaules, ne comprenant visiblement pas plus qu'elle ce qui était en train de se passer. Harris dit quelque chose à Gérard, qu'elle ne put entendre. Aussitôt Gérard hocha la tête et se leva. Il fit un petit sourire dans sa direction puis quitta la pièce.

Jo Harris enfila lui aussi une paire de gants en latex et pénétra dans la salle de bains.

— Alors, tu l'as trouvé ?

Gaines agita l'agenda devant lui.

Swan sentit son estomac se contracter et les deux hommes reportèrent toute leur attention sur elle. Elle avait l'horrible impression d'être un insecte examiné au travers d'un microscope.

48

— Qu'est-ce que tout cela a à voir avec les papiers du crédit ? demanda-t-elle.

Aucun des deux hommes ne répondit. Gaines sortit le chèque qu'elle avait reçu d'Arthur la veille. Il le tendit à Harris, qui l'étudia pendant un moment, puis le déposa dans un sachet de plastique, qu'il avait sorti de sa poche. Pendant qu'Harris s'occupait du chèque, Gaines prit le canif avec lequel il avait prévu de la délivrer de ses sous-vêtements, et découpa soigneusement la couverture de cuir de l'agenda. Swan était furieuse. Il l'avait complètement détruit ! N'en avait-il pas fait assez avec ses sous-vêtements ?

— Que faites-vous avec mon chèque ? demanda-t-elle à Jo Harris.

Puis se tournant vers Gaines :

— Et vous, regardez ce que vous avez fait à mon agenda !

— Toutes les preuves sont là ? demanda Harris.

— Absolument, dit Gaines.

— Les preuves de quoi ? Je n'ai rien fait de mal. Tout cela n'est qu'une erreur. Lynne vous le dira elle-même !

Gaines leva un sourcil.

— Une erreur, dites-vous ?

Swan le regarda en silence, tandis qu'il retirait un document, qui avait apparemment été caché dans la couverture de son agenda. Il le lui tendit pour qu'elle puisse le contempler. A première vue, c'était un autre chèque, qui pouvait être payé en espèces. Il était libellé à l'attention de Lynne Carmichael, et le montant inscrit lui coupa le souffle.

Quatre millions neuf cent mille dollars.

— Qu'est-ce que c'est que ça ? chuchota-t-elle.

Harris agita le sachet en plastique qui contenait son chèque.

— Tout compris, ça fait cinq millions de dollars.

Que diable était-il en train de se passer ? Les questions se bousculaient dans sa tête. Elle fit un pas en arrière, s'agrippa à la commode et s'assit.

— Y a-t-il autre chose ? demanda-t-elle.

Harris fronça les sourcils.

— Que voulez-vous dire ? Plus d'argent ?

Elle secoua la tête.

— Non, d'autres surprises du même genre.

Gaines donna l'agenda et le chèque à Harris, qui était apparemment chargé de les garder comme preuves.

— Je vais étiqueter tout ça, dit Harris en quittant la salle de bains. Je n'en ai que pour quelques instants. Tu t'occupes d'elle ?

Lorsque Harris sortit, Swan jeta un coup d'œil à Robert Gaines.

— Tout ceci n'est qu'une terrible méprise ! Il faut vraiment que je vous explique ce qui s'est passé. Je vous assure que je ne sais absolument rien à propos du second chèque.

Pendant un long moment, il se contenta de rester là, devant elle, et l'observa tout en retirant lentement ses gants. Elle se demanda s'il allait lui parler ou pas, lorsque soudain, il se pencha vers elle.

— Il n'y a aucune erreur, mademoiselle Mc Kenna. Vous et votre amie Lynne, êtes dans le bourbier jusqu'au cou, et de toute façon…

Il avait l'air de réfléchir à quelque chose. A quoi ?

— De toute façon, quoi ? demanda-t-elle.

— Eh bien, il y a peut-être un moyen de vous sortir de tous ces ennuis.

— Parfait, murmura-t-elle. Dites-moi ce que vous voulez.

Elle avait un mauvais pressentiment, mais que pouvait-elle faire d'autre ? Elle avait l'impression qu'un piège se refermait sur elle.

Il la fixa du regard, et une étincelle sembla briller dans ses yeux. Avait-elle rêvé ou était-ce une lueur de désir ? Impossible dans la situation dans laquelle ils se trouvaient.

— Le FBI peut-il compter sur votre coopération ? Nous sommes sur une affaire épineuse, et vous pourriez nous être utile.

Elle hocha la tête.

— Bien sûr, je coopérerai. Dites-moi ce qui se passe.

— Voyez-vous, il semble que votre ami Arthur Forrest soit un véritable escroc. Cela nous a pris des années pour le traquer, et le prendre en flagrant délit, mais nous y sommes arrivés. Le seul problème est que Forrest n'a pas pu monter ces escroqueries tout seul. Quelqu'un l'aidait, à l'intérieur de la banque. Quelqu'un de très haut placé. C'est cette personne que nous voulons arrêter.

— Mais comment puis-je vous aider ? Lynne et moi ne travaillons pas à la banque. Vous devez bien le savoir.

— Nous le savons. Mais nous savons également que Mlle Carmichael et Arthur Forrest se fréquentent depuis un bon bout de temps. Nous savons que Forrest est déjà venu dans votre villa, et qu'il y a passé du temps avec vous deux.

— Vous nous surveilliez ?

Il ignora sa question et continua :

— Ce que nous ne savons pas, c'est si vous et votre associée avez été dupées par Forrest, ou bien si vous êtes ses complices.

— Nous avons été dupées ! s'écria Swan avec force. Lynne et moi pensions que Arthur voulait nous aider. Et je vous assure que Lynne n'en sait pas plus long que moi à ce sujet.

— En parlant de Mlle Carmichael, où est-elle ?

— Elle se trouve avec un couturier. Quelqu'un de très important, qui serait apparemment intéressé pour sponsoriser notre marque. C'est une véritable chance pour nous.

— Dites-moi où elle se trouve.

— Je ne sais pas exactement, dit-elle. Elle est sur un yacht, quelque part en pleine mer.

— Tenteriez-vous de faire obstruction à la justice, mademoiselle ?

— Je vous jure que je ne sais pas où elle est ! hurla-t-elle.

— Calmez-vous, dit-il.

Il posa la main sur son bras, et elle sentit ses doigts chauds sur sa peau. Si seulement ils avaient pu se trouver réunis dans d'autres circonstances...

— Je suis calme, rétorqua Swan, après avoir inspiré un grand coup. Dites-moi simplement que vous n'avez pas d'autres surprises à m'annoncer. Je ne suis pas sûre de pouvoir en supporter d'autres ce soir.

Elle leva les yeux vers lui, remarqua l'expression de son regard et gémit.

— Il y a quelque chose d'autre, dit-il. Et je ne crois pas que vous allez l'apprécier.

4.

— Mademoiselle Mc Kenna ! Revenez ici ! cria Robert
Gaines alors que Swan passait droit devant lui et se dirigeait
vers la chambre adjacente. Elle avait absolument besoin d'espace pour s'éclaircir les idées. En moins de vingt minutes, il
l'avait accusée de crimes horribles sans compter qu'il l'avait
vue dans une position humiliante et qu'il s'était emmêlé les
mains dans son collant.

Que comptait-il dire ensuite ? *Arrêtez ou je tire ?*

— Ce n'était pas une simple demande, la prévint Gaines.
Arrêtez ou je…

Swan s'arrêta brutalement.

— Je crois que nous avons besoin d'établir certaines règles,
dit Gaines. Tout d'abord, tournez-vous vers moi, lentement, et
deuxièmement, regardez-moi droit dans les yeux et écoutez
attentivement chacun de mes mots ; et quand je dis attentivement, je ne plaisante pas.

Swan eut envie de lui dire qu'il n'avait nul besoin de
prendre un ton aussi supérieur, mais naturellement elle n'en
fit rien. Elle se retourna, le regarda droit dans les yeux, et
eut l'impression que son cœur s'arrêtait de battre. Le visage
de Gaines était de marbre, et son regard de glace.

— Règle numéro un, dit-il, vu que c'est moi qui possède le badge et le pistolet, c'est moi qui commande. Règle numéro deux, vu que c'est vous qui allez bientôt vous retrouver avec les menottes aux mains, vous n'avez qu'une chose à faire, obéir. La suspecte, c'est vous. Et règle numéro trois, ne vous éloignez jamais de celui qui possède l'arme, parce qu'il pourrait penser que vous essayez de vous échapper, et si tel était le cas, il devrait faire tout ce qui est en son pouvoir pour vous arrêter. Et tout cela pourrait tourner mal.

— Ce sera tout ? demanda-t-elle, levant les yeux au ciel.

— Règle numéro quatre, au cas où vous ne vous en seriez pas rendu compte, mademoiselle Mc Kenna, vous êtes vraiment dans le pétrin. Sans exagérer, je dirais presque que je tiens votre vie entre mes mains. Donc, si j'étais vous, j'adopterais immédiatement un autre comportement envers moi.

Que croyait-il donc ? Elle aurait *adoré* adopter un tout autre comportement envers lui. Elle regarda ses mains bronzées et puissantes, et se sentit immédiatement attirée par elles. Il venait juste de lui dire qu'il tenait sa vie entre ses mains, et cette idée n'était finalement pas pour lui déplaire…

— Les règles sont-elles claires ? demanda-t-il.

— Vous êtes celui qui possède l'arme. Mais au fait, qu'est-ce que c'est que cette fixation sur les armes ? Vous savez ce que l'on dit à ce propos, n'est-ce pas ? Que les revolvers, pistolets et autres sont des substituts du pénis.

L'air incrédule, il la regarda.

— Peut-être pourrions-nous parler de votre fixation sur le pénis, dit-il. Et sachez que je n'ai nul besoin d'un substitut.

Ça, elle avait déjà pu le constater, du moins visuellement. Pourtant, à ces seules paroles, elle se sentit profondément troublée.

— Revenons à notre affaire, dit-il. Je vous offre une opportunité, ce qui n'est pas le cas pour tous nos suspects.

Soit vous nous aidez à mettre la main sur le complice d'Arthur Forrest, soit vous irez droit dans la cellule voisine de la sienne. Que préférez-vous ?

— Est-ce vraiment un choix que vous me proposez là ? demanda-t-elle d'un ton glacial. Tout ce que Lynne et moi avons construit est sur le point de s'écrouler, et vous, vous voudriez m'inclure dans votre affaire, de façon à ce que vous et votre petit copain avec sa belle plaque du FBI, puissiez utiliser nos défilés comme base d'opération pour mettre la main sur quelqu'un que vous n'arrivez pas à attraper seuls !

— On pourrait résumer les choses ainsi.

Il avait l'air de bien s'amuser, et cette fois, Swan sentit que c'en était trop pour elle. Elle s'assit sur le bord du lit et enfouit sa tête entre ses mains.

— Tout ceci n'est qu'un cauchemar, murmura-t-elle.

Si elle gardait les yeux fermés suffisamment longtemps et qu'elle continuait à répéter ces mots comme un mantra, alors peut-être que ce cauchemar s'éloignerait. Et il emporterait Robert Gaines avec lui.

Gaines vint s'asseoir à côté d'elle.

— Ecoutez, dit-il d'un ton qui sembla soudain compatissant. Que vous décidiez de nous aider ou non, vous allez être entraînée dans tout ce bazar. Je sais que cela semble injuste, mais c'est ainsi que les choses vont se passer.

Swan jeta un coup d'œil vers lui.

— Que voulez-vous dire ?

— Arthur Forrest est futé. Il a escroqué des gens pendant des années, mais il n'est pas futé à ce point. Il n'a pas monté toute cette opération tout seul. D'importantes sommes d'argent ont été transférées par ordinateur, et d'après les administrateurs bancaires qui nous ont renseignés, il n'a pas l'autorisation de faire cela seul. M. Forrest ne nous a pas avoué avoir agi avec un complice, mais il est évident que quelqu'un à l'intérieur de la banque l'a aidé.

— A l'intérieur de la banque ? Comment voulez-vous que je vous aide ? Lynne et moi ne connaissons personne à la banque, mis à part Arthur.

— Ça, c'est ce que vous prétendez, mais quelqu'un a ouvert un compte au nom de Lynne, et y a électroniquement transféré des fonds dessus. Cette même personne a ensuite établi un chèque du montant de ces fonds, libellé à l'ordre de Lynne Carmichael, chèque que vous avez récupéré après avoir signé du nom de votre amie. Et, bien sûr, à présent, Lynne a disparu.

— Effectivement, si l'on raconte l'histoire de cette façon, nous semblons coupables en tout point.

Elle leva la main, et commença à se masser la tempe.

— Tout d'abord, Lynne n'a pas disparu. Elle est en voyage pour affaires, et en ce qui me concerne je n'y connais rien en transfert électronique. Que vouliez-vous dire en prétendant que je serais entraînée dans cette affaire, que je vous aide ou non ?

Gaines se leva, et enfouit ses mains dans les poches de son pantalon.

— Vous prétendez ne pas avoir monté ce coup avec Arthur Forrest. Si cela est vrai, alors une autre chose est certaine. Arthur n'avait certainement pas l'intention de vous laisser ces cinq millions. Quelqu'un allait s'occuper de vous en soulager, certainement Arthur lui-même, puis les partager avec son complice.

Swan n'aimait pas du tout la tournure que prenait la conversation.

— Etes-vous en train de dire que son complice allait s'occuper de récupérer l'argent ? Voire même de s'en prendre à moi pour y arriver ?

— Je vois que vous commencez à comprendre. Si vous coopérez avec nous, nous assurerons votre protection. Vous ne risquerez rien, et nous arrêterons notre malfrat.

Swan se leva à son tour et marcha jusqu'à la porte-fenêtre ouvrant sur les jardins. Elle écarta l'un des rideaux de dentelle blanche, et regarda dans l'obscurité de la nuit. Bien que les fenêtres soient fermées, elle entendait la rumeur de l'océan, ainsi que la circulation dans les rues adjacentes. Il y avait toujours beaucoup de monde sur la plage en été, même en soirée.

— Quand pensez-vous que cette personne se décidera à récupérer son argent ? demanda-t-elle. Suis-je déjà en danger ?

Elle avait besoin de connaître la vérité, aussi difficile soit-elle à entendre.

Robert Gaines envisagea de lui mentir puis se ravisa. Inutile de lui donner un faux sentiment de sécurité. En cet instant, elle était suffisamment vulnérable pour écouter ce qu'il avait à dire, et assez effrayée pour pouvoir l'accepter.

— Cela se pourrait, répondit-il, c'est pourquoi Jo et moi allons rester ici ce soir. Néanmoins, je doute qu'il se passe quelque chose dans l'immédiat. Ils attendront plutôt la confusion qui règne autour d'un défilé. Apparemment, la presse commence à parler de vous, ce qui veut dire que vous serez facile à trouver ; et puisqu'il semble que vous allez partir en tournée pour présenter plusieurs défilés, vous serez très souvent distraite. Les voleurs aiment le chaos, l'agitation.

— Parfait, dit-elle, je vais être utilisée comme appât. Quelqu'un va pouvoir me kidnapper, ou me molester à chaque instant, voire même me laisser pour morte. Et que se passera-t-il si ce fameux complice découvre que je n'ai pas les cinq millions de dollars ? Je passerai aux oubliettes ?

Elle passa une main dans ses longs cheveux auburn et le fixa droit dans les yeux, d'un regard accusateur.

« Certainement pas », songea-t-il. D'où il était, il sentait son délicat parfum. Il l'avait observée durant toute la soirée, et se rendait compte en cet instant, qu'elle pouvait avoir l'air sûre d'elle en tenue de soirée et talons hauts, puis l'instant d'après être vulnérable et inquiète, comme elle l'était à présent. Il préférait la voir vulnérable, ainsi elle était plus facile à contrôler. Robert avait également conscience que, si elle n'était pas suspecte, il aurait eu du mal à la tenir à distance. Le pire, c'est qu'il n'était pas certain qu'elle aurait résisté à ses avances.

— Ecoutez, dit-il d'une voix douce. Jo et moi n'avons jamais laissé tomber personne. Nous avons mis en place un plan pour votre protection. Si vous faites exactement ce que nous vous disons, vous serez en sécurité. Nous pouvons vous protéger, mais seulement si vous coopérez.

— Et qu'est-ce que je récolterai dans tout cela, mis à part une dépression nerveuse ?

— L'immunité, en cas de procès. Vous devrez certainement témoigner contre Forrest et ses complices devant un tribunal, mais aucune charge ne sera retenue contre vous.

— Et en ce qui concerne Lynne ?

— Cela dépend. Immunité partielle, voire totale, si elle accepte de témoigner.

— L'immunité pour quelque chose que nous n'avons pas fait ? Excusez-moi si je n'ai pas l'air très reconnaissante.

— J'ai besoin d'une réponse, dit-il. Dites oui, mademoiselle Mc Kenna, c'est la meilleure chose pour vous.

Swan n'était pas certaine d'avoir le choix. Si elle refusait de l'aider, il se pourrait bien que Robert Gaines la conduise directement en prison. Cela serait un véritable désastre pour leur compagnie, et les articles dans les médias causeraient leur ruine, même si elle était ensuite innocentée.

D'un autre côté, il était également possible que le complice d'Arthur, quel qu'il soit, ait pris peur, et abandonne l'idée de récupérer l'argent. Mais comment le savoir ? Et qui renoncerait à cinq millions de dollars ?

— Je n'ai pas entendu votre réponse, dit Gaines.

— Vous savez, dit-elle, si vous avez un jour l'intention de quitter le FBI, vous pourriez toujours devenir mannequin pour lingerie masculine. Votre copain Jo Harris aussi, d'ailleurs.

Elle fut ravie de le voir pâlir.

— J'ai vu ce que vous faisiez porter à vos mannequins, ce soir, marmonna-t-il. Et pour rien au monde, je ne voudrais porter un de ces trucs.

Swan rit, cela faisait du bien.

— J'imagine que vous avez des personnes qui s'occupent des réglages sur le podium, comme les lumières et le son, par exemple ? demanda Gaines.

Swan hocha la tête.

— Parfait, parce que ce que Jo et moi avons prévu, c'est de nous mélanger à votre personnel. Nous ferons tout notre possible pour rester en dehors de votre chemin. Mais gardez bien présent à l'esprit que nous sommes ici pour mener une enquête, et que vous êtes notre principal suspect.

— Comment pourrais-je oublier ? Je suis déjà fatiguée de devoir clamer mon innocence, et vous êtes probablement fatigué également de m'entendre protester ainsi, mais un de ces quatre, vous allez vous rendre compte de votre erreur, et serez drôlement embarrassé.

Elle s'attendait à ce qu'il la remette en place, une fois de plus, mais il n'en fit rien. Elle se contenta alors de le fixer droit dans les yeux.

— Allez-y, dites ce que vous pensez, maugréa-t-elle. Que je suis complètement stupide de m'être fourrée dans ce fiasco. Mais ne me dites surtout pas que je suis une voleuse, parce que je ne le suis pas.

— Si vous pensez que je n'ai pas envie de voir tomber ces charges qui pèsent contre vous, vous vous trompez. Rien ne me ferait plus plaisir, je vous assure.

— Rien ne vous ferait plus plaisir ? Pourquoi est-ce que cela aurait une quelconque importance pour vous ? Vous ne me connaissez même pas.

Il resta un instant silencieux, la scrutant du regard.

— J'ai mes raisons.

— Ce que vous voulez, c'est attraper Arthur Forrest, n'est-ce pas ? Et apparemment, je suis le seul moyen qui vous permette d'y parvenir ; c'est pour cela que vous vous faites du souci pour moi ?

« Elle ferait mieux de se taire », songea-t-elle, mais elle avait du mal à résister. Elle aurait voulu pouvoir le questionner comme les policiers dans les séries TV, et l'interroger jusqu'à ce qu'il avoue ses mauvaises intentions, une par une.

Etait-ce son imagination qui lui jouait des tours ? Elle eut soudain l'impression qu'il n'aurait pas déplu à Robert Gaines de se retrouver en tête à tête, seul avec elle à sa merci. Il n'avait pas esquissé l'ombre d'un sourire, mais elle vit très nettement une petite flamme briller au fond de ses yeux bleus, et savait pertinemment ce que cela représentait. C'était une pure lueur de désir.

Avant qu'elle n'ait le temps de penser à autre chose, Jo Harris pénétra dans la chambre.

— Tout est prêt, dit-il à Gaines, qui se contenta de hocher la tête.

Il fallut environ deux minutes à Swan pour comprendre de quoi les deux hommes parlaient, puis elle se souvint que Robert avait donné les chèques à Jo.

— Vous allez me rendre mon argent, n'est-ce pas ?

Harris la regarda comme si elle était devenue folle.

— Votre chèque est une preuve, mademoiselle Mc Kenna. Il est hors de question que vous le récupériez.

— Vous plaisantez ! J'ai besoin de cet argent ! Nous avons des dépenses à régler pour notre tournée. Si je ne peux pas régler mes factures, je vais complètement gâcher notre relation avec la chaîne de boutiques. Il se pourrait même qu'ils annulent la tournée, et il faudra quand même que je paye l'organisation de cette soirée. J'ai tout réglé avec ma carte de crédit.

Harris et Gaines se regardèrent. Apparemment, même des agents du FBI pouvaient être surpris.

— Je suis sérieuse, dit-elle. Lynne et moi avons dépensé nos derniers deniers dans le lancement de la production de la collection. Une bonne partie du crédit de la banque était prévue pour régler les salaires des mannequins, couvrir les dépenses de voyage, et de logement. Je ne vous parle même pas de la pile de factures qui s'amoncellent sur mon bureau. Sans cet argent, il n'y aura plus aucun autre défilé.

Gaines hocha la tête en silence. Après quelques instants de réflexion, il parla à son partenaire.

— Nous pourrions faire une demande d'urgence.

— Ça vaut la peine d'essayer, dit Harris, tout ce qu'on risque, c'est de se voir opposer un refus.

Des échos de voix parvinrent jusqu'à la chambre, et Swan se rappela soudain la réception et ses invités. Les représentants de la presse étaient toujours là, ainsi que le staff de La Bomba. Elle n'avait aucune idée de l'endroit où se trouvait Gérard ni de ce que se passait à l'extérieur de la chambre.

La dernière fois qu'elle avait vu son assistant, il avait été prié de quitter la pièce. Peut-être l'avait-on emmené pour l'interroger ailleurs. Si c'était le cas, cela signifiait que ses invités étaient à présent seuls, laissés à eux-mêmes. Il fallait qu'elle aille les rejoindre. Quelqu'un devait limiter les dégâts, et apparemment elle était la seule à pouvoir le faire.

Sans même penser à leur demander la permission, elle passa devant les deux agents et se dirigea vers la véranda. Soudain, elle se rendit compte qu'elle venait de briser la règle numéro trois de Robert Gaines. Au diable ! cet homme. S'il n'était pas content, qu'il lui tire une balle dans le dos. Après tout, il lui rendrait service.

Les choses n'étaient pas aussi terribles qu'elle avait imaginé. Gérard n'avait pas été embarqué dans une voiture de police, mais circulait au beau milieu de la foule, bavardant avec les uns et les autres. Et ses invités n'avaient apparemment aucune idée de ce qui était en train de se passer. Un nouveau remerciement à mettre au crédit de Gérard.

Elle chercha comment mettre un terme à la soirée, mais personne ne semblait particulièrement pressé de partir, ce qui, ironiquement, était le signe d'une soirée réussie. Oui, tout semblait se dérouler pour le mieux, mis à part le fait qu'il y avait deux agents du gouvernement dans une chambre, et qu'elle n'avait aucune envie de les voir se mêler à ses invités.

Trop tard. Elle remarqua Jo Harris près du buffet. Il était en train de se servir une assiette de fromages, mais gardait un œil sur elle. Elle se retourna à la recherche de Gaines, mais ne le remarqua nulle part. Pourvu qu'il soit en train d'essayer de trouver de l'argent pour mener à bien sa tournée. Cela le tiendrait occupé pour un petit moment. Soudain, une idée surgit en son esprit. Il y avait quelque chose qu'il fallait absolument qu'elle fasse ce soir, et cela lui serait bien plus facile si Robert Gaines n'était pas dans son chemin.

Gérard se dirigea vers elle, accompagné d'un petit groupe d'invités, et elle espéra que ces derniers souhaitaient lui dire bonsoir avant de s'en aller. Elle fixa Gérard du regard, et fit mine d'ajuster ses boucles d'oreilles. En fait, elle lui indiquait discrètement la présence de Jo Harris.

Depuis qu'ils travaillaient ensemble, Gérard et elle s'étaient presque toujours compris sans même avoir besoin de se parler. En cet instant, elle lui demandait de la couvrir, et il hocha discrètement la tête pour acquiescer. S'excusant auprès des invités, il prit un plateau de canapés et se dirigea vers Harris. Aussitôt, il se lança dans une conversation animée avec l'agent.

Sans se presser, Swan s'éloigna avec ses invités. Elle avait besoin de passer un coup de fil, en privé. Arrivée à la porte d'entrée, elle remercia chacun de sa venue. Tandis que ses invités descendaient les marches, elle se glissa dans le jardin d'hiver, et referma la porte derrière elle.

Elle appela sa boîte aux lettres vocale, et trouva un message de Lynne. Toutes deux avaient convenu que, si Lynne avait des nouvelles à lui donner, elle laisserait un message plutôt que de la déranger durant la soirée. Apparemment, cela avait été une sage décision.

Elle écouta le message. Lynne allait droit au but :

— Gvon a l'air vraiment très intéressé. Et bien plus que cela ! Je t'appelle plus tard !

Le message était déjà terminé.

Pourquoi diable son amie se trouvait-elle sur un yacht en train de faire une croisière de rêve, alors qu'elle devait s'occuper seule de tout ce cauchemar. Néanmoins, il y avait quand même une bonne chose au fait que Lynne ne soit pas joignable. Si Gaines avait su où la trouver, il l'aurait certainement jetée aussitôt en prison, et cela aurait mis un terme à leur relation avec Gvon Marcello.

Swan espérait surtout que son amie n'avait rien à voir avec l'escroquerie d'Arthur. Bien sûr, Lynne n'aurait jamais volé cinq millions de dollars, mais elle aurait pu être impliquée sans le savoir, et elle ressentit le besoin de la protéger.

Elle composa son numéro de portable. Tandis que le téléphone sonnait, elle se retourna et regarda dans l'obscurité. Quelqu'un se trouvait-il là, attendant qu'elle baisse sa garde ? Robert Gaines pourrait-il la protéger ?

Au bout de trois sonneries, et après avoir écouté l'annonce vocale de Lynne, elle lui laissa un message.

— C'est Swan. Ecoute attentivement, Lynne, ceci n'est absolument pas une plaisanterie. Le FBI se trouve à la maison, et leurs agents pensent que toi et moi sommes toutes deux impliquées dans une escroquerie montée par Arthur Forrest. Nous sommes dans une belle panade, je t'assure. Je ne peux pas vraiment te parler maintenant, mais je te rappellerai pour te mettre au courant de tout. D'ici là, quoi que tu fasses, surtout, ne reviens pas ici.

Elle raccrocha, soulagée d'avoir pu laisser ce message à Lynne. Curieusement, elle ne ressentit pas l'urgent besoin de se rendre à la salle de bains, malgré son stress. Peut-être était-elle finalement au-delà de cela. Peut-être que ce cauchemar soignerait au moins ce sempiternel tracas.

— Je déteste lorsque l'on me ment, dit Robert Gaines.

Swan sursauta, le cœur battant. Elle se retourna, et le vit appuyé nonchalamment contre la porte. Il s'approcha d'elle et lui prit le téléphone des mains, appuya sur la touche *bis* du cadran, puis écouta quelques instants avant de raccrocher.

— Une boîte aux lettres vocale ?

— Je ne sais vraiment pas où elle se trouve, dit Swan. Je vous le jure.

— Peut-être, mais apparemment vous savez où la contacter. Vous savez où la prévenir pour lui dire que nous la recherchons.

— Ce n'est pas ce que vous croyez. Vraiment pas.

Il la regarda. A présent, elle comprit qu'il ne croirait plus jamais une seule de ses paroles.

Il était un peu plus de 2 heures du matin, lorsque Robert se leva du canapé sur lequel il se reposait dans le bureau, et enfila ses chaussures. Il n'arrivait pas à dormir, alors autant relever Jo de sa garde. Les deuxième et troisième étages de la villa étaient utilisés comme logements. Lui-même se trouvait au deuxième étage, à l'autre bout du couloir de la chambre de Swan Mc Kenna.

Un grand calme régnait dans la demeure, et il se faufila dans le couloir. Robert n'était jamais particulièrement impressionné par le luxe des endroits qu'il visitait ou des objets qu'il voyait, car dans son métier, les personnes les plus riches qu'il croisait, étaient souvent les truands après lesquels il courait. Néanmoins, il devait bien reconnaître que cette villa était superbe. Les sols de marbre ancien étaient magnifiques et les tableaux accrochés au mur, dignes des plus grands musées ; tout ce qu'il voyait dans cette demeure n'était que charme et élégance.

En descendant l'escalier, il remarqua soudain son partenaire endormi sur l'un des canapés du hall d'entrée. Un exemplaire du *Wall Street Journal* posé sur son torse, Jo semblait parti dans de beaux rêves. Il ronflait même. Robert secoua la tête, se demandant pourquoi il était surpris. Depuis quelque temps, son partenaire agissait parfois curieusement. Il approchait de son cinquantième anniversaire, et en semblait plutôt déprimé. Peut-être était-ce ce que l'on appelait la crise de la cinquantaine. Dernièrement, il ne parlait que de prendre sa retraite et de se retirer sur une île tropicale. Il fallait souvent que Robert lui répète que cette heure n'avait pas encore sonné.

Soudain, il remarqua quelque chose de plus intéressant que la lassitude de Jo vis-à-vis de son travail. Les portes qui menaient à la terrasse étaient grandes ouvertes.

— Bon sang ! jura-t-il.

Il était sur le point de réveiller Jo, lorsqu'il reconnut soudain la silhouette qui se déplaçait lentement sur l'allée centrale des jardins, qui conduisait au belvédère.

Il laissa Jo à ses rêves. Il pouvait s'occuper de cela tout seul. La nuit était incroyablement claire, et la lueur de la lune l'aida à s'orienter tandis qu'il descendait les marches qui menaient au jardin.

Swan se dirigeait sans se presser vers le bout de l'allée qui avait été un peu plus tôt dans la soirée éclairée par les lanternes japonaises. Apparemment, elle ne cherchait pas à s'enfuir. Mais peut-être avait-elle l'intention de rencontrer quelqu'un. Son associée ? A moins qu'elle n'ait tout simplement envie de prendre l'air ? Il se cacha dans la pénombre, et l'étudia pendant un moment. Tandis que ses yeux s'habituaient à l'obscurité, il remarqua qu'elle ne portait qu'une légère robe de coton, toute simple, et était pieds nus. Pas du tout la tenue qu'il aurait imaginée de la part d'une femme qui dessinait des sous-vêtements torrides. A la façon dont la lune éclairait le tissu fin, il voyait les contours de sa silhouette. Il l'observa encore un peu et déglutit. Sa robe était tellement plaquée contre son corps, qu'il eut soudain l'étrange sensation qu'elle n'avait pas remplacé le sous-vêtement qu'il avait découpé. Il sentit son entrejambe le tirailler. Bon sang ! La dernière chose dont il avait besoin en cet instant était d'une érection. Apparemment, le simple fait de la regarder suffisait à l'exciter, ce qui était vraiment gênant pour l'agent du

FBI qu'il était, supposé conduire une opération de grande envergure et surveiller un suspect. Certes, Swan Mc Kenna était considérée comme suspecte, pourtant, il n'arrivait pas à croire à sa culpabilité.

Elle l'est, Robert, ne l'oublie pas. Elle est intelligente et sournoise.

Et adorable comme tout, à la lueur de la lune. Seule, troublée, et adorable. Tout ce qui donnait envie à un homme de voler au secours d'une femme. Mis à part le fait qu'il ne pouvait nullement aider Swan Mc Kenna, en tout cas pas de la façon dont elle avait besoin. S'il voulait arrêter Arthur Forrest, il n'avait pas d'autre choix que d'utiliser Swan dans cette opération. Et l'arrestation d'Arthur comptait plus que tout pour lui.

Cinq ans plus tôt, il avait été désigné pour assurer la protection d'un témoin, une certaine Paula Warren. La jeune femme, très mondaine, avait de nombreux problèmes émotionnels, mais quelque chose en elle l'avait troublé. Il n'était pas attiré sexuellement, même si elle lui avait clairement fait comprendre qu'elle ne verrait aucune objection à le retrouver dans un lit… ou ailleurs. Non, ce qu'il avait ressenti envers Paula, était un immense besoin de la protéger. Elle avait l'air perdue, et ses nombreuses relations avec des hommes qui profitaient d'elle, ne l'aidaient pas à s'épanouir. Lorsqu'elle avait accepté de témoigner contre Arthur Forrest et l'arnaque qu'il avait mise en place, Paula s'était retrouvée sous son entière responsabilité.

Le comportement fantasque de la jeune femme avait transformé sa vie en enfer, et lui avait presque coûté son poste. Puis, elle s'était suicidée, ou du moins c'est ce que l'on avait prétendu. Il avait toujours eu des doutes là-dessus. Il n'avait aucune preuve, mais il avait toujours pensé que Arthur Forrest était directement ou indirectement lié à la mort de

Paula. Le pire était que la jeune femme se trouvait sous sa responsabilité, et qu'il l'avait laissée tomber. Il aurait dû être là pour arrêter son geste.

Depuis tout ce temps, il attendait une nouvelle chance de capturer Arthur Forrest, et la dernière chose dont il avait besoin à présent était que sa conscience le torture. Il avait besoin d'un contrôle absolu sur son corps et sur son esprit ainsi que sur Swan Mc Kenna, sa suspecte. Il connaissait parfaitement le code de conduite qu'il devait observer, et les limites qui ne devaient pas être franchies. Aucun doute possible. Tout était très clair, très simple, et il connaissait mieux que quiconque le prix de l'égarement.

Une seule fois, des années auparavant, il avait franchi les limites, et s'était promis à lui-même que cela n'arriverait plus jamais. Voilà pourquoi cela n'avait aucun sens que Swan Mc Kenna le trouble à ce point, alors qu'aucune femme ne l'avait fait depuis des années. Il ne l'avait jamais permis. Peut-être était-ce ce qui le perturbait le plus en cet instant. Qu'est-ce qui la rendait différente des autres ? Pourquoi elle ? Pourquoi maintenant ?

Pendant qu'il se posait cette question, une brise venue de l'océan balaya le jardin, et souleva la robe de Swan. Bon sang ! Il avait raison. Elle ne portait pas de culotte. Même mère Nature conspirait contre lui.

Il traversa le jardin. Apparemment, Swan ne cherchait pas à rencontrer quelqu'un, elle était tout simplement sortie pour prendre l'air. Il s'approcha d'elle sans bruit, mais s'éclaircit la gorge lorsqu'il ne fut plus qu'à quelques mètres d'elle. Inutile de l'effrayer. Lorsqu'elle se retourna, la brise souleva ses cheveux et les rabattit sur son visage. Aussitôt il eut envie de tendre la main et d'écarter les mèches. Swan semblait pensive et nullement effarouchée, ce qui, sans qu'il sache pourquoi, le troubla profondément.

C'était pire que ce qu'il pensait ! A présent c'était un mélange de tendresse et d'excitation qu'il ressentait envers elle.

— Vous ne devriez pas être là, dit-il.

— Je sais. Et au cas où vous vous le demanderiez, je ne suis pas en train de briser la règle numéro trois. Je ne suis pas en train d'essayer de m'évader. J'avais juste envie de contempler le jardin et de me souvenir de cette soirée.

— Tout a l'air de s'être bien passé, dit-il.

Elle avait l'air énervée, et la moindre des choses qu'il pouvait faire, était d'être poli.

— Cela a été le cas, dit-elle. C'est juste que…

Elle se tourna vers lui et poursuivit :

— C'est curieux, vous travaillez pendant des années pour que votre rêve se réalise, et lorsque cela arrive, vous vous apercevez qu'ensuite tout sera différent. Je ne m'attendais pas à une arrestation par le FBI. Tout cela a l'air injuste, et pourtant c'est ma faute. Je n'aurais jamais dû signer ces documents. Je n'aurais même jamais dû aller à la banque.

— Ces dernières vingt-quatre heures ont été difficiles pour vous, lui rappela-t-il. Ne soyez pas trop dure avec vous-même.

Elle leva les yeux vers lui.

— Pourquoi pas ? Ah oui, j'oubliais, ça c'est votre boulot !

Face à l'insulte, il se contenta de hausser les épaules. Swan soupira, et écarta ses cheveux de son visage. Malgré sa colère, elle était vraiment adorable.

— Je suis désolée, dit-elle. Une des raisons pour lesquelles je suis sortie prendre l'air, c'est parce que j'essayais de trouver un sens à tout ce qui est en train d'arriver. J'imagine que je devrais déjà être contente de ne pas être en prison à l'heure qu'il est ?

Il ne répondit pas et elle continua.

— J'ai décidé, il y a quelques instants, que le mieux pour moi serait de coopérer avec vous autant que possible. Je ne vous causerai aucun problème, et tout ce que j'espère c'est que vous et l'agent Harris, pourrez résoudre cette histoire le plus rapidement possible.

Il hocha la tête, plus soulagé qu'il ne voulait l'admettre.

— Je n'en ai pas spécialement après vous, dit-il. Ce que je cherche c'est la vérité, et pour l'instant je ne la connais pas. Jusqu'à ce que je découvre le fin mot de cette histoire, vous êtes suspecte, certes, mais vous êtes aussi un témoin potentiel. Pour résumer, je n'ai pas d'autre choix que de vous suivre comme votre ombre, Swan. C'est pour votre protection. Cela n'a rien de personnel.

C'est cela, oui !

Si jamais elle découvrait ce qu'il avait réellement en tête, elle le giflerait certainement. Il ne pouvait s'empêcher de contempler son beau visage, et de fantasmer en se rappelant comment elle s'était trouvée assise à genoux devant lui quelques jours plus tôt. Pas plus qu'il ne pouvait s'empêcher de penser au fait qu'elle était entièrement nue sous sa robe. S'il la prenait dans ses bras, il sentirait la douce courbe de ses seins contre son torse, ses cuisses contre les siennes, et pourrait enfin embrasser son adorable bouche.

Rien de personnel, n'est-ce pas ?

5.

— Quelqu'un devrait dire aux mannequins de changer de registre, et d'arrêter d'imiter Elvis. Si je vois encore un de ces fichus déhanchements, je crois que je vais être malade, marmonna Robert.

Jo se mit à rire.

— Hé, ce n'est pas si mal ! A part toi, on dirait bien que tout le monde passe un bon moment.

Harris avait raison. En ce samedi après-midi, la boutique La Bomba de Los Angeles débordait de clients, pour la plupart des femmes. En venant de Manhattan Beach ce matin, Robert s'était attendu à trouver une boutique élégante, mais petite. En arrivant au magasin, il avait découvert une boutique d'au moins deux cents mètres carrés, regorgeant de lingerie pour les deux sexes. L'espace du côté des cabines d'essayage avait été dégagé par l'équipe, et une petite scène avait été installée, à côté de laquelle on avait également mis en place le matériel acoustique nécessaire au défilé de Swan. Les portants de vêtements avaient également été déplacés afin que l'on puisse installer une bonne centaine de chaises, mais cela ne suffisait pas encore. Dans la boutique bondée, de nombreuses clientes se tenaient debout autour de la scène et attendaient le début du défilé.

Swan était sur le podium, et commentait le show, avec bien plus d'enthousiasme que Robert ne l'aurait souhaité. Chacun des modèles déclenchait un tonnerre d'applaudissements dans le public féminin, de tous âges. C'était surprenant de voir parmi celui-ci, des femmes d'une bonne soixantaine d'années aux cheveux déjà gris.

Au moins, leur plan était-il bien en place. L'agenda en cuir de Swan, le cadeau d'Arthur, se trouvait bien en évidence sur la petite estrade du podium. Elle l'utilisait pour lire ses notes.

L'agenda était la clé de toute l'opération, et le plan était très simple. Swan devait garder son agenda en permanence avec elle, et ne jamais se trouver hors de sa vue ni de celle de Jo. Par ailleurs, elle devait se comporter comme si elle ignorait que l'agenda contenait autre chose que le planning de ses rendez-vous ou de ses notes. En d'autres termes, elle devait avoir l'air aussi normale que possible.

Personne ne devrait avoir de problèmes avec de telles instructions, n'est-ce pas ?

Robert fit la grimace. Faux. Swan lui avait déjà glissé deux fois entre les mains, pour passer un coup de fil, sans jamais prévenir personne. Il pouvait comprendre sa réticence à demander la permission pour aller aux toilettes, mais que diable faisait-elle là-dedans ? Il avait toujours entendu dire que la vessie des femmes était plus petite que celle des hommes, mais il n'avait jamais vu aucune femme se rendre si souvent au petit coin. Il faudrait qu'il lui en touche un mot.

Jo et lui avaient revêtu l'uniforme des techniciens, ce qui leur donnait un libre accès aux coulisses, et leur permettait de garder l'œil sur Swan à longueur de temps, sans pour autant attirer l'attention sur eux.

A cet instant, vingt minutes avant le défilé, il n'avait rien remarqué d'anormal, mis à part un groupe de mannequins masculins, dansant et promenant leurs corps dénudés dans les coulisses.

Comment diable des hommes pouvaient-ils porter des strings ?

Jo s'approcha de lui.

— Tu n'aimerais pas en porter un ? demanda-t-il en plaisantant.

— Et toi ? Tu préfères que je te donne un coup de poing maintenant, ou plus tard ? Examinons plutôt les lieux de fond en comble. Tu prends le côté droit, et moi le gauche.

— Travailler, toujours travailler.

— Essaie de ne pas t'endormir cette fois !

Robert était parfaitement conscient d'avoir choisi d'examiner le côté de la salle où Swan se trouvait. Jo était un agent expérimenté, et en théorie, il était aussi capable que lui de prendre soin de Swan. Pourtant Robert avait déjà pris sa décision : personne d'autre que lui-même ne veillerait sur Swan.

Plusieurs raisons avaient motivé cette décision et l'une d'entre elles tenait à l'endroit où ils se trouvaient. En effet, ils étaient à présent à Los Angeles, ville proche de la scène du crime, et il pensait que le complice agirait ici, plutôt que de les suivre sur la côte. Dans une telle situation, il ressentait le besoin d'être partout, pas simplement pour veiller sur Swan, mais aussi pour surveiller chaque personne, en bref être omniprésent. Malgré son expérience, Jo avait parfois du mal à rester vigilant. Tout du moins, c'était l'impression qu'il donnait. Et pour être honnête, il fallait bien reconnaître que Jo n'avait pas les mêmes motivations que lui.

Lui n'avait aucun compte à régler avec Arthur Forrest.

Oui, capturer Arthur était une priorité pour lui. Swan Mc Kenna n'était qu'un moyen d'y parvenir.

Du moins, c'était ce qu'il se disait, en regardant ses longs cheveux auburn briller dans la lumière dès qu'elle tournait la tête. Swan rayonnait. Il ne savait pas si elle était excitée, ou nerveuse à cause de sa présentation, mais oui, elle rayonnait littéralement.

Il fallait bien le reconnaître, elle excellait dans ce qu'elle faisait. Quant à lui, il sentait son cœur se serrer dans sa poitrine, rien qu'en la regardant. S'il continuait ainsi, il n'arriverait bientôt plus à respirer. Il était vigilant, certes, vigilant dans sa façon de noter tous les détails de son apparence, sa façon de parler, la façon dont elle s'adressait à la foule…

Qu'avait-il dit déjà ? Swan Mc Kenna n'était qu'un moyen pour arriver à ses fins ? Qui croyait-il duper ainsi ?

Il reporta son attention sur la foule, et remarqua aussitôt un spectateur qui ne semblait pas à sa place. Tout d'abord, c'était un homme. Deuxièmement, il avait des épaules de camionneur, et troisièmement, s'il avait le crâne rasé, son visage, lui, n'avait pas vu trace d'un rasoir depuis plusieurs jours. Sa veste en jean avait une inscription dans le dos, mais il était trop loin pour la déchiffrer.

Fait encore plus curieux, l'inconnu observait Swan avec intensité, semblant ne pas pouvoir détacher ses yeux d'elle. Robert comprenait que l'on puisse être séduit par Swan, mais il n'aimait pas voir un autre que lui dans cet état, surtout pas dans les circonstances actuelles.

Peut-être était-ce une fausse alerte. Peut-être l'inconnu appréciait-il de porter des strings, lui. Néanmoins il allait se rapprocher pour mieux le surveiller. C'est alors qu'il ressentit ce petit picotement caractéristique au bas de sa nuque. Rien de bien précis, mais il avait déjà éprouvé cette sensation, et savait qu'elle l'alertait que le danger était là.

La plupart des personnes dans la salle étaient désormais assises, mais lui se tenait debout, faisant mine de vérifier les lumières. Le jeune homme ne l'avait pas encore remarqué, et Robert ne se trouvait plus qu'à quelques mètres de lui, lorsque soudain, plusieurs cris attirèrent son attention.

Il leva les yeux, pour voir un des mannequins vêtu d'un smoking arpenter le podium. Les spectatrices semblaient devenir folles, rien qu'à le regarder. Il venait de jeter sa veste et sa chemise ainsi que sa cravate sur le sol, mais semblait à présent avoir un problème avec son pantalon. Il essayait d'ouvrir la braguette sans succès, puis regardait son public, l'air perdu.

— On va venir t'aider, cria l'une des femmes.

L'une d'elles tenta même de monter sur le podium, mais fut aussitôt arrêtée par le service de sécurité.

— Que se passe-t-il ? demanda Swan dans le micro, faisant mine d'être surprise. Un gentleman en détresse ? Nous ne pouvons pas le laisser ainsi, n'est-ce pas mesdames ?

— Noooooon ! hurla le public féminin.

— Pensez-vous que je devrais l'aider ? leur demanda-t-elle.

« Bon sang, non ! » pensa Robert.

— Ouuuuui ! crièrent les spectatrices.

— Dans ce cas, si vous insistez…

Swan s'avança sur le podium et rejoignit le mannequin au milieu de la piste. Elle fit le tour de sa personne, le regardant de haut en bas.

Qu'avait-elle l'intention de faire ? se demanda Robert. Il jeta un coup d'œil vers l'inconnu qu'il surveillait et qui semblait très attentif, lui aussi. Apparemment Swan avait le même effet sur eux deux.

— Avez-vous un problème ? demanda Swan au mannequin.

Le jeune homme hocha la tête, et Swan se retourna vers le public.

— Eh bien, nous n'allons pas laisser ce petit détail interrompe notre défilé, n'est-ce pas ?

Les spectatrices se mirent à hurler et à applaudir. Swan posa ses deux mains sur les hanches du mannequin, attrapa son pantalon, et tira d'un coup sec. Le vêtement, apparemment créé spécialement pour le spectacle, se détacha complètement, laissant le mannequin nu, seulement vêtu d'un minuscule string. Victorieuse, Swan leva le bras et agita le pantalon au-dessus de sa tête, puis retourna à l'autre extrémité du podium, vers son estrade. Mission accomplie. Le mannequin était maintenant libre de continuer son tour sur le podium.

Robert était sans voix.

Mais pas le public. Les hurlements semblaient sans fin. « Les femmes n'étaient pas supposées se comporter ainsi, n'est-ce pas ? » se demanda-t-il. Il s'était déjà trouvé dans les clubs de strip-tease, où les spectateurs masculins semblaient bien moins excités.

Il était stupéfait de la prestation de Swan sur le podium. Pire, il s'en voulait même d'éprouver quelque chose. Quel droit avait-il d'être jaloux ou en colère ? Swan n'était pas sa femme. Elle était sous sa responsabilité, c'est tout. Si elle voulait se donner en spectacle, c'était son problème.

A présent, elle était en train de remercier les spectatrices d'être venues et d'avoir regardé le défilé. Lorsque la foule se leva et commença à se disperser dans la boutique, il se rendit compte qu'il avait perdu de vue l'inconnu qu'il surveillait.

« Bravo, Gaines ! se dit-il. Ton suspect s'est évanoui dans la nature, et toi tu commences à dérailler sérieusement à cause de cette nana. »

Tandis qu'elle quittait le podium, Swan eut droit à un nouveau tonnerre d'applaudissements. Robert remarqua qu'elle tenait l'agenda sous son bras. Il devait rester vigilant. Si quelqu'un envisageait de le lui voler, cela risquait fort de se passer maintenant, alors qu'elle se trouvait au milieu de la foule.

Il jeta un coup d'œil en direction de Jo, et ils échangèrent un hochement de tête. Jo se dirigea vers la porte d'entrée, tandis que lui-même se dirigea vers l'autre extrémité de la boutique, où se tenait Swan, en train de bavarder avec plusieurs clients. La directrice de la boutique, une jeune femme dynamique âgée d'une vingtaine d'années, se joignit au petit groupe, et bientôt tout le monde se retrouva en train de parler en même temps.

Robert ne pouvait pas placer un seul mot dans la conversation, mais peu lui importait. Il avait Swan dans son champ de vue, mais il devait aussi continuer à observer la foule, sans savoir exactement ce qu'il devait rechercher. Le jeune inconnu semblait être une proie un peu trop facile. Il n'était peut-être bien destiné qu'à détourner l'attention pendant qu'un complice passerait à l'action. Robert n'avait écarté aucun des deux sexes. Arthur Forrest était connu pour escroquer des femmes, mais il lui était également arrivé de s'associer à certaines d'entre elles, dans le passé, et une jeune femme qui travaillerait à la banque pourrait facilement se mêler à la foule des spectatrices qui se trouvaient ici.

Il commença à démonter les lumières tout près de l'endroit où Swan se trouvait. Il avait déjà échangé un clin d'œil avec elle, pour lui faire savoir qu'il se trouvait à proximité, et qu'elle était en sécurité. Elle lui avait répondu par un imperceptible hochement de tête, signalant qu'elle était tout à fait consciente de sa présence.

La plupart des clientes s'étaient éparpillées dans la boutique et les rayons étaient bondés de femmes qui admiraient les modèles de la collection Brief Encounters. Certaines d'entre elles se trouvaient déjà aux caisses, prêtes à régler leurs achats, mais Robert se rendit compte qu'il faudrait un bon moment avant que la boutique ne retrouve un semblant de calme.

Effectivement, trois quarts d'heure plus tard, les lieux redevinrent un peu plus silencieux. Il ne restait plus que quelques clientes ainsi que l'équipe de la boutique.

— Je ne crois pas qu'il se passera quelque chose aujourd'hui, dit Jo en venant rejoindre Swan et Robert. Je vais aller vérifier une nouvelle fois l'arrière-boutique ainsi que les cabines d'essayage.

Tandis que Jo s'éloignait, Swan demanda à Robert s'il avait apprécié le défilé. Il se contenta de hausser les épaules.

— Vous n'avez pas aimé ?

— Je n'ai pas vraiment eu le temps de regarder. Je travaille, rappelez-vous.

Le sourire de Swan s'évanouit, comme si elle espérait une autre réponse. Etait-ce vraiment important pour elle que Robert apprécie son travail ?

— Dois-je en conclure que vous n'aimez pas les strings ?

— Je n'aime pas particulièrement les sous-vêtements, un point c'est tout.

Elle sourit de nouveau, timidement cette fois. Robert avait l'impression qu'elle rougissait légèrement. Swan Mc Kenna n'était pas facile à cerner. Elle semblait presque avoir deux personnalités contradictoires. L'une était celle d'une femme qui détournait le regard lorsqu'elle se sentait mal à l'aise, l'autre pouvait tenir un public en haleine, comme elle l'avait fait sur le podium. Apparemment, il allait devoir découvrir par lui-même qu'elle était la réelle Swan, une jeune femme effrontée qui arrachait le pantalon des hommes, ou une jeune femme timide qui marchait pieds nus au clair de lune dans les jardins d'une villa. Bien sûr, même dans ce second cas, il ne devait pas oublier qu'elle ne portait pas de sous-vêtements.

— Alors, que pensez-vous de notre petit numéro ? demanda-t-elle.

— Vous voulez parler du type qui n'arrivait pas à détacher son pantalon ? C'était un sketch ?

— Exactement. Le public a eu l'air d'apprécier.

— Ça, vous pouvez le dire, répondit-il en la regardant d'un air sceptique. Qui a eu la brillante idée de lui arracher son pantalon ?

— Moi, dit-elle fièrement, mais c'est vous qui me l'avez inspirée.

— Je vous demande pardon ? Qu'est-ce que c'est que cette obsession de retirer leurs pantalons aux hommes ?

Elle pencha la tête de côté, et le regarda amusée.

— Etes-vous en colère ? Oh oui ! Vous êtes fâché. C'est vraiment adorable.

— De quoi diable parlez-vous ?

Oui, il était en colère, et il n'y avait absolument rien d'adorable dans leur conversation. Peu lui importait qu'elle s'amuse sur le podium avec des hommes à moitié nus, cela ne regardait qu'elle. Son boulot à lui, c'était de la garder en sécurité.

— Vous êtes jaloux, dit-elle en riant légèrement.

— Ecoutez...

— Je sais, je sais, dit-elle en agitant la main. Vous détestez ce terme d'adorable. Les agents du FBI n'ont probablement pas le droit d'être jaloux. Cela ne figure pas sur la liste des émotions acceptables.

Elle le regarda droit dans les yeux et baissa la voix.

— Mais je continue à penser que votre comportement est vraiment mignon.

Elle le regarda avec intensité, comme pour le convaincre de ses paroles. Robert savait qu'ils se trouvaient tous deux à un carrefour de leur relation. Ce qu'il allait dire à présent déterminerait leurs rapports futurs. Il pouvait tout à fait admettre sa jalousie et éventuellement, par là même, diminuer la tension qui régnait entre eux. Mais cet aveu les rendrait plus proches, et risquerait de les amener sur un terrain « non acceptable », comme elle l'avait elle-même qualifié. D'un autre côté, il pouvait refuser d'admettre quoi que ce soit. C'était exactement ce qu'il devrait faire. De même qu'il ne devrait absolument rien éprouver, quels que soient les actes ou les paroles de Swan Mc Kenna ! Oui, il devrait refuser de reconnaître quoi que ce soit, cela lui permettrait de se sortir de tout cet imbroglio émotionnel, et de se replonger dans cette affaire, l'esprit clair.

Il connaissait parfaitement le danger de se trouver à un carrefour comme celui-ci. Cinq ans plus tôt, il avait choisi la première option, et l'histoire s'était terminée avec la mort d'une femme, et un agent du FBI qui avait passé quelque temps en prison. Cet agent, c'était lui. L'histoire avait une fâcheuse tendance à se répéter, mais lui ne répéterait pas ses choix absurdes.

— Ecoutez, je ne voudrais pas vous blesser, mais tout ceci est ridicule, et nous allons en rester là, d'accord ? Je me fiche complètement de ce que vous pensez de moi. Vous êtes en danger, et nous avons un escroc qui se balade dans la nature. Voilà ce qui est important pour moi, et cela devrait l'être pour vous aussi. Cela devrait même être la seule chose importante à votre esprit.

— Quel est votre problème ? demanda-t-elle.

— Si je ne reste pas concentré et vigilant, des gens risquent de mourir. Voilà mon problème.

Il la vit blêmir. Il n'avait pas voulu la blesser ainsi, mais il lui fallait bien mettre les choses au point.

— Je sais combien votre travail est important, dit-elle. Mais nous ne sommes pas dans des camps adverses. Nous ne sommes pas obligés d'être ennemis. Je pourrais vous aider, si vous me laissez faire.

— Vous voulez nous aider ? Concentrez-vous plutôt sur votre travail, et oubliez-moi.

Durant un instant, il crut qu'elle allait le gifler. Au lieu de cela, elle se contenta de le fixer d'un regard dur.

— Parfait, mais laissez-moi vous dire une dernière chose. Malgré ce que vous pensez, je ne vous ai pas menti. Pas une seule fois, ni même à propos de Lynne. Par contre, je ne suis pas convaincue que vous n'êtes pas en train de me mentir, ni que vous ne vous mentez pas à vous-même.

Elle se retourna et s'éloigna.

Finalement, il aurait nettement préféré qu'elle le gifle.

Il était jaloux. Oui, il l'était, songea Swan, même s'il n'en avait pas conscience. Et si Robert était jaloux, cela signifiait qu'il avait des sentiments pour elle. Soit il la voulait pour lui tout seul, soit il ne supportait pas qu'elle puisse désirer quelqu'un d'autre que lui, ce qui revenait plus ou moins au même. Ces deux possibilités lui semblaient tout à fait logiques, et vu qu'ils allaient passer ensemble les prochaines heures enfermés dans une voiture, cela serait l'occasion parfaite d'éclaircir les choses.

— Ai-je la permission de parler ? demanda-t-elle.

— Non, répondit Robert d'une voix sèche.

Elle posa l'agenda sur ses genoux avec un soupir d'exaspération. Si quelqu'un dans sa voiture avait bien le droit d'être fâché, c'était elle. Pourquoi était-il aussi désagréable ? Il y avait plus de trois heures de trajet jusqu'à San Francisco, où se tiendrait le prochain défilé, et depuis leur départ il avait à peine détourné le regard de la route. La seule fois où il lui avait parlé, avait été pour l'informer du chemin qu'il prendrait.

Une fois que lui et Jo avaient décidé que le complice d'Arthur ne ferait certainement pas son apparition au défilé de Los Angeles, ils avaient remballé tout le matériel, et s'étaient résolus à prendre la route. Tout se trouvait entassé dans la remorque derrière eux, tandis que Jo Harris et Gérard les suivaient dans une voiture banalisée.

A la dernière minute, Swan avait demandé à Gérard de venir avec elle, et il avait sauté sur l'occasion. Bien sûr, elle avait auparavant demandé la permission à Robert, d'ailleurs que pouvait-elle faire actuellement sans en demander la permission ? Néanmoins, elle était contente que Gérard ait accepté. Elle avait besoin d'un ami à son côté dans cette aventure cauchemardesque.

Soudain, elle se demanda ce que Lynne ferait en de telles circonstances. Aurait-elle réussi à briser les défenses de Robert Gaines ? Pas évident.

Jamais elle n'avait rencontré d'homme aussi résolu à ne pas s'impliquer dans une relation personnelle. Soudain elle eut une idée. La circulation était quasiment nulle. Pour tout dire, ils étaient pratiquement les seuls sur la route, donc si quelque chose devait *accidentellement* se passer, cela ne représenterait pas un réel danger. Elle détacha sa ceinture de sécurité et se pencha entre leurs deux sièges. Son sac était sur la banquette arrière et elle savait qu'il contenait un flacon d'aspirine.

— Que faites-vous ? demanda Robert.

— Je n'arrive pas à attraper mon sac. Il va falloir que je me mette à genoux.

Elle fit tout ce qu'elle pouvait, tout du moins en apparence, pour ne pas s'approcher trop de lui. Pourtant, elle ne manqua pas de s'appuyer sur son épaule, ni de poser la main sur son bras, lorsque, après avoir attrapé son flacon d'aspirine, elle tenta de se rasseoir convenablement sur son siège.

Une fois assise, elle fit mine de ne pas réussir à ouvrir le flacon.

— Savez-vous vous y prendre avec un couvercle récalcitrant ? demanda-t-elle.

— Ce n'est qu'une question de technique, dit-il. Tapez dessus et tournez en même temps.

Swan obtempéra, le couvercle céda brusquement, et aussitôt les comprimés d'aspirine se répandirent sur le siège du conducteur.

Ce n'était pas exactement le désastre qu'elle avait prévu. C'était bien mieux. Elle se pencha, puis se rattrapa, en posant ses mains sur les cuisses de Robert, et sentit immédiatement ses muscles frémir. Aussitôt, il lâcha le volant d'une main pour l'aider à se rétablir, mais durant quelques secondes, elle se retrouva le visage niché entre ses cuisses. Elle se redressa et commença à vouloir récupérer l'aspirine.

Robert l'arrêta d'une main ferme.

— Si vous continuez ainsi, nous allons avoir un accident ! Attendez que nous trouvions un endroit pour stationner.

Après cinq minutes, il trouva une aire de repos où il arrêta la voiture. Puis il coupa le moteur et enleva sa ceinture de sécurité.

— Je suis vraiment désolée, s'écria Swan.

— Ce n'est que de l'aspirine, répondit-il. Pas la peine d'en faire un drame.

— Ne vous en faites pas, je vais nettoyer tout cela en une minute, dit-elle en se penchant vers lui.

Elle commença à brosser son pantalon avec sa main, et bien sûr, posa ses doigts ici et là, faisant mine de vouloir récupérer chacun des comprimés, ignorant les protestations de Robert.

— Je crois que c'est bon, dit Robert, tandis que les doigts de Swan se glissaient entre ses cuisses.

Dédaignant sa remarque, les doigts de Swan s'aventurèrent dans une zone interdite.

Soudain, Robert lui attrapa le poignet, et retira sa main.

— J'ai dit que c'était assez !

— Mais je n'ai pas terminé !

— Qu'est-ce que vous faites ? marmonna-t-il. Bon sang ! Mais que faites-vous donc ?

— Rien, murmura-t-elle.

Swan n'avait aucune idée de l'endroit où ils se trouvaient à présent. Tout ce dont elle avait conscience, était l'homme assis à côté d'elle, et qui la dévorait des yeux. Elle avait envie de bien plus qu'un simple regard brûlant, mais lorsqu'elle se pencha pour l'embrasser, il la repoussa.

— Vous mentez, dit-il. Ce n'est pas rien, et vous le savez très bien.

— Je mens ? Et vous ? Regardez-vous !

Il la fixa du regard.

— Qu'y a-t-il ? En ce qui me concerne, je vais très bien.

— Oh, je vous en prie ! Ne me dites pas que vous n'aviez pas envie de m'embrasser ! N'essayez même pas de me dire cela. Vous en mouriez d'envie.

— Vous êtes dingue !

Il la relâcha aussitôt, et démarra brutalement.

— Rien de tout ceci n'est arrivé, dit-il tandis qu'il se dirigeait de nouveau sur l'autoroute.

— Qu'est-ce qui n'est pas arrivé ? Que vous avez failli m'embrasser ou bien que je n'ai pas renversé mon flacon d'aspirine sur vous ?

— Vous savez parfaitement ce que je veux dire. A présent, ça suffit.

Après quelques instants de silence, Swan engagea de nouveau la conversation.

— Je ne sais pas si vous aurez envie d'en parler, mais j'aimerais bien avoir quelques éclaircissements sur une chose que vous avez dite un peu plus tôt.

— Quoi exactement ?

— A propos des personnes qui meurent, si vous n'êtes pas concentré sur votre travail.

— Vous avez tout à fait raison, je n'ai aucune envie d'en parler. Changez plutôt de sujet. Ou plutôt, c'est moi qui vais choisir un nouveau sujet de conversation. Il y a quelque chose qui excite ma curiosité.

— Qu'est-ce que c'est ?

— Votre vessie.

— Là, c'est moi qui n'ai pas envie d'en parler.

— Désolé, mais rappelez-vous, c'est moi qui commande. Si mon compte est bon, vous vous rendez aux toilettes environ une bonne douzaine de fois par jour, or vous n'êtes pas supposée être si longtemps hors de ma vue, vous vous souvenez ? Si je ne vous ai pas dans mon champ de vision, je ne peux pas vous protéger.

— Dans ce cas, venez avec moi aux toilettes. De toute façon, vous m'y avez déjà vue !

— Vous ne me rendez vraiment pas les choses faciles, soupira-t-il.

— C'est juste nerveux, dit-elle en haussant les épaules. Quand je suis anxieuse, je ressens une certaine… pression.

C'était bien plus qu'elle ne voulait lui avouer, et elle tourna légèrement la tête pour voir s'il allait se moquer d'elle. Mais il ne la regardait même pas, les yeux fixés sur la route devant lui.

— Parfait, néanmoins, plus d'excursion à la salle de bains, sans nous prévenir, Jo ou moi, dit-il. Je ne sais pas si vous

vous en rendez compte, mais c'est l'endroit idéal pour vous agresser.

Décidément, il ne pensait qu'au travail.

— Très bien, dit-elle en levant les yeux au ciel.

— Et en parlant d'excursion, où diable se cache votre amie Lynne ?

— Quelque part en haute mer, avec le couturier dont je vous ai parlé.

— Pourquoi ne vous a-t-elle pas téléphoné ? A moins qu'elle ne l'ait fait, et que vous ayez omis de me prévenir.

— Peut-être que son portable ne fonctionne pas là-bas, au beau milieu du Pacifique.

— Vous n'avez jamais entendu parler des satellites relais ?

— S'il y a une urgence, je suis sûre qu'elle me contactera.

— Parce que vous considérez que tout ceci n'est pas une urgence ? Si elle ne vous appelle pas bientôt, elle et son copain auront affaire aux gardes-côtes.

Swan avait bien d'autres questions en tête. Robert lui avait dit qu'ils dormiraient tous les quatre dans deux chambres adjacentes à San Francisco, et que le département d'Etat réglerait leurs chambres d'hôtel, mais il n'avait pas précisé qui dormirait avec qui, ni dans quelle chambre. Elle brûlait de savoir comment il avait arrangé le tout. Par-dessus tout, elle était impatiente de savoir si l'agence avait approuvé la demande de fonds pour payer le prochain défilé.

Résolue à se calmer, elle regarda par la vitre. Elle avait toujours aimé les derniers instants de soleil de la journée, lorsque le ciel virait au mauve. Cela lui rappelait les étés de son enfance. Dès que le dîner était terminé, sa mère et elle s'asseyaient sous le porche ou sur la pelouse des maisons dans lesquelles elles vivaient, et regardaient le soleil se coucher.

Aujourd'hui, c'était toujours son heure favorite de la journée, mais ce soir, elle n'avait pas l'effet escompté.

Elle baissa son siège de quelques centimètres, puis se laissa aller, et ferma les yeux, se demandant si Robert Gaines était aussi conscient de sa présence qu'elle l'était de la sienne.

Elle aurait donné n'importe quoi pour le lui faire avouer.

Swan sortit de la salle de bains, au moment où il raccrochait le téléphone. Elle portait un simple peignoir de l'hôtel, qu'elle avait soigneusement noué, et se dirigea dans la pièce qui leur servait à la fois de salon et de chambre. La douche chaude lui avait fait du bien, et c'était exactement ce qu'il lui fallait après ce long voyage en voiture.

Jo et Gérard se trouvaient dans la chambre adjacente, et déballaient leurs valises. Robert avait insisté pour que la porte de communication entre leurs deux chambres reste ouverte tout le temps, mais il leur avait bien fait comprendre que c'était lui qui se chargeait de la protection rapprochée de Swan. Elle ne savait toujours pas qu'en penser.

— La demande de fonds n'a pas été approuvée, dit-il.

— Pardon ? Qu'avez-vous dit ?

— Le bureau ne finance pas de séances de strip-tease, ainsi qu'ils qualifient vos défilés. Ils ont refusé notre demande.

Pas une seconde, elle ne s'était attendue à cela. Soudain, le stress des dernières vingt-quatre heures l'envahit. Elle avait l'impression que tout ce qu'elle avait patiemment cherché à construire, s'écroulait lamentablement sous ses yeux.

— Comment peuvent-ils refuser ? Sans cet argent, il n'y aura plus aucun défilé. Et sans défilé, aucune possibilité de capturer le complice d'Arthur. Ils ont bien compris cela, n'est-ce pas ? Et vous, vous l'avez compris ?

Elle était proche de l'hystérie, lorsque Jo et Gérard entrèrent dans la pièce.

— Que se passe-t-il ? demanda Jo. Ils ont refusé ?

Robert hocha la tête, et Gérard soupira. Il avança droit vers elle, et prit Swan dans ses bras, pour la consoler.

— Ce ne sont que des idiots, maugréa-t-il.

Swan s'écarta de lui, et se tourna vers Robert, furieuse, l'invectivant comme si c'était lui qui avait opposé ce refus.

— Dites-leur que leur décision n'est pas acceptable. Il ne s'agit pas juste de votre opération, c'est ma compagnie qui est en jeu. Sans cette tournée, nous ne survivrons pas. Ma société s'écoulera.

— Ecoutez, je suis désolé, dit Robert.

— Désolé ? Vous devez les convaincre ! Comment se fait-il qu'ils décident de sacrifier leur précieuse opération maintenant ?

— Ils pensent que le complice de Forrest agira si vous restez à proximité « des lieux du crime ». C'était également ma théorie, au début, mais j'ai changé d'avis.

— Comment cela ? demanda-t-elle.

— Je pense que le complice ne s'est pas encore manifesté, parce que jusqu'à présent nous étions trop près de son domicile. Il, ou elle, travaille dans cette région, ce qui signifie que, plus loin nous nous en trouverons, mieux cela sera pour lui. Cela lui permettra d'agir de façon plus anonyme. Malheureusement, mes supérieurs n'en sont pas convaincus. Même s'ils n'ont rien à reprocher à votre tournée, ils ne voient pas l'utilité de financer vos défilés, s'ils pensent qu'ils peuvent attraper le coupable sans avoir à mettre la main à la poche.

Swan tremblait.

— Je ne les laisserai pas faire, dit-elle. Je ne retournerai pas là-bas, pour qu'ils m'utilisent comme appât pour leur piège.

Certainement pas après cela ! Qu'ils me jettent en prison, s'ils en ont envie, mais je ne renoncerai pas à ma tournée.

Robert se dirigea vers elle, pour la calmer, mais elle se détourna.

Pas question de le laisser la toucher.

— Réfléchissons un peu, dit-il. Il doit bien y avoir un moyen de sauver vos défilés. De quoi avez-vous besoin pour celui de San Francisco ?

— De mannequins. D'hommes sexy, pour porter les sous-vêtements de la collection. Impossible de faire le défilé sans eux.

Gérard s'approcha.

— Je devrais peut-être passer quelques coups de téléphone, j'ai plusieurs amis à San Francisco.

Swan secoua aussitôt la tête.

— Nous avons déjà essayé cela, Gérard. Tu es un amour de me proposer ton aide, mais je refuse d'assister à d'autres castings de phénomènes.

— Je me souviens surtout du réparateur de téléphone, dit Gérard, en lui faisant un clin d'œil.

Tout le monde se mit à rire, mais Gérard protesta.

— Ne soyez pas aussi moqueurs. Robert aurait cassé la baraque s'il avait essayé un de nos modèles.

— Même si tes amis étaient disposés à nous aider, dit-elle à Gérard, nous n'aurions pas le temps de les faire répéter tous ensemble.

— De combien de mannequins avez-vous besoin ? demanda Jo.

— Il m'en faudrait dix, mais je pourrais certainement me débrouiller avec huit, peut-être même six, dit-elle. Oui, six, cela serait vraiment le minimum, mais...

Elle semblait réfléchir.

— Oui, si je recommence le même coup que j'ai fait sur le podium avec le mannequin hier, celui du pantalon que j'ai arraché, je pourrais prendre moitié moins de mannequins. Les deux autres auraient le temps de se changer, pendant que je serais sur scène avec le troisième.

— Nous sommes justement trois hommes, dans cette pièce, dit Jo.

Swan le regarda, interloquée. Avait-elle bien entendu ?

— Etes-vous en train de suggérer…

— Il ne suggère rien du tout, dit Robert d'un ton ferme.

— C'est une idée géniale ! dit Gérard. J'ai toujours voulu être mannequin. Si seulement je n'étais pas aussi… potelé.

— Ce n'est rien à côté de moi, dit Jo en tirant sa chemise de son pantalon et en montrant son ventre.

— Jo !

Robert le fixait, les yeux écarquillés.

— Remets tout de suite ta chemise en place, tu ne vas pas jouer aux mannequins ; *nous* n'allons pas jouer les mannequins !

Gérard se tourna vers Robert.

— Quel est votre problème ? Après tout, c'est vous le mieux foutu de nous trois. Vous avez un corps superbe.

Tout le monde s'était tourné vers Robert, qui recula de trois pas, comme si la distance pouvait le sauver.

— Oh non ! dit-il. Il n'en est pas question.

Pendant un long moment, personne ne dit rien, chacun se contentant de le fixer du regard.

Swan eut envie de le taquiner. Elle se dirigea vers l'immense lit, et s'y laissa tomber.

— Je crois que nous aurons du mal à lui faire faire quelque chose dont il n'a visiblement aucune envie. De plus, il lui manque certaines qualités pour être aussi performant qu'un mannequin.

— Lesquelles ? demanda Robert, intrigué.

— Du charisme, répondit Gérard qui avait compris le petit jeu de Swan.

— De l'allure, renchérit Swan.

Durant quelques minutes, Jo et Gérard le taquinèrent. Mais rien ne sembla déstabiliser Robert.

Swan décida de mettre fin à sa torture, se leva, et se dirigea vers la porte d'entrée, fermée à clé. Elle voulait l'ouvrir, afin de laisser un peu d'air entrer dans la pièce, mais se rendit soudain compte que cela n'était pas possible. Quelqu'un la pourchassait, la traquait, et elle se devait d'être prudente. D'ailleurs, Robert ne l'aurait même pas laissée tourner la clé, sans bondir à côté d'elle. Lynne était loin, et elle ne pouvait même pas appeler sa mère, qui aurait été terrifiée, si elle avait su dans quelle situation sa fille se trouvait.

— Moi, je défilerai pour vous.

Swan sursauta, et se retourna. Jo Harris se tenait derrière elle, l'air incertain. Il était en train de s'opposer à son partenaire, pour elle.

— Il faudra que vous me montriez comment faire, dit-il, mais si vous en avez besoin, alors je le ferai pour vous.

— Enfin, un mec qui en a, dit Gérard en s'approchant. Tu peux me compter dans le lot aussi.

Swan était très touchée, mais elle ne pouvait accepter leur offre.

— Nous avons trois costumes, dit-elle, je ne peux rien faire si je n'ai pas trois mannequins.

Elle jeta un long regard en direction de Robert.

— C'est vraiment dommage, soupira-t-elle. Robert aurait fait un modèle parfait.

Comme un seul homme, Jo et Gérard pivotèrent ensemble, et dardèrent leurs regards vers Robert, qui avait encore reculé, et se tenait maintenant dos au mur, l'air pâle.

— Pas question, marmonna-t-il, il faudra que vous me passiez sur le corps auparavant.

« Avec plaisir », songea-t-elle, se pinçant les lèvres pour ne pas rire.

Robert avait la tête d'un condamné à mort.

6.

— Comment voulez-vous que je vous mesure, si vous n'arrêtez pas de gesticuler ?

Robert ne savait que répondre. Quel homme pourrait rester impassible, dans ces conditions ? Cherchant à prendre ses mesures, Swan passait ses mains sur tout son corps, et cette fois il n'y avait rien qu'il puisse faire pour l'arrêter. A présent, il était officiellement mannequin pour sous-vêtements masculins. Il avait finalement craqué sous la pression, et n'en était pas fier. Au beau milieu de la nuit, incapable de dormir, il avait maintes fois soupiré en se maudissant, se sentant presque humilié. Et en cet instant, il devait endurer le rituel des mensurations.

Bien sûr, Swan s'était bien gardé de lui en parler avant.

Elle se trouvait à genoux devant lui, un mètre de couturière dans les mains, et une pelote à épingles rouge accrochée à son poignet, l'image même d'une innocente couturière effectuant son travail. Mais impossible de croire qu'elle ne savait pas exactement l'effet qu'elle produisait sur lui. Malgré le caleçon qu'elle lui avait permis d'enfiler, il se sentait complètement nu.

Elle avait mesuré ses hanches en plusieurs endroits, sans oublier son entrejambe. Bon sang ! Elle semblait n'avoir aucune gêne à le toucher partout, alors que lui se sentait troublé au plus haut point. Il sentit son sexe se dresser entre ses cuisses.

Quelques secondes plus tard, Swan s'arrêta, s'écarta, et leva les yeux vers lui.

— On dirait bien que nous avons un léger problème, dit-elle, le rouge lui montant aux joues. Etes-vous nerveux ? J'ai du thé qui pourrait vous aider à vous calmer.

— Je ne suis pas nerveux. Mais c'est ce qui arrive aux hommes, lorsque les femmes les caressent.

— Je vous demande pardon ? Tout d'abord, je ne vous caresse pas. Je ne fais que prendre vos mesures. Deuxièmement, ni Gérard ni Jo n'ont réagi comme vous lorsque je les ai mesurés.

— Evidemment ! Gérard est gay, quant à Jo, je commence à me poser des questions à son sujet. N'importe quel homme réagirait ainsi, dans de telles conditions.

— Oh, je vois, répondit-elle. L'érection est une réaction qui figure sur une liste agréée par le FBI.

— Oui, exactement, répondit-il bêtement.

— Dans ce cas, mes félicitations. Je suis sûre que le département d'Etat serait fier de vous, mais ce phénomène n'est pas sur la liste agréée pour les mannequins qui présentent des sous-vêtements.

Il haussa les épaules.

— Ne vous inquiétez pas, cela n'arrivera pas durant le défilé. Vous ne serez pas assise à genoux devant moi, soufflant... de l'air chaud sur moi.

— N'en soyez pas si sûr. Vous et moi aurons un sketch à jouer sur scène. Je n'en ai pas encore peaufiné tous les détails, mais nous ne pouvons pas nous permettre de nous retrouver dans une telle situation. Vous savez, Jo, lui, a fait beaucoup de progrès.

« Qu'arrivait-il à son partenaire ? », se demanda-t-il. Jo avait autant insisté que Gérard et Swan pour le convaincre. Tous les trois l'avaient presque persuadé que le défilé ne pourrait pas avoir lieu s'il n'y participait pas en tant que mannequin. Peut-être était-ce vrai. Il ne souhaitait pas que Swan perde son contrat avec la chaîne de boutiques La Bomba, et il n'était pas d'accord avec l'assistant du bureau du procureur, qui soutenait que le complice d'Arthur Forrest se dévoilerait plus certainement sur un territoire proche de chez lui. Mais plus que tout, il ne souhaitait pas voir l'opération complètement annulée. Ses pensées le refroidirent, et il sentit son érection retomber.

— Bon, j'ai l'impression que votre nervosité a disparu, dit Swan, en lui lançant un regard entendu.

— Ecoutez, tout cela ne signifie rien. Ce n'est qu'un réflexe purement physique.

— Oh, vraiment ? Je suis surprise que cela ne soit pas votre nez qui s'allonge, comme celui de Pinocchio.

— Que voulez-vous dire ?

— Vous savez parfaitement de quoi je parle, dit-elle, faisant écho à la réponse qu'il lui avait fait la veille dans la voiture.

Bon sang, officier ou pas, il n'était qu'un être humain ! Si elle savait exactement ce qu'il avait en tête à cet instant précis, elle lâcherait certainement son mètre et ses épingles, et s'enfuirait en courant. A moins qu'elle ne décide de lui planter une aiguille au bon endroit !

Ce dont il avait réellement envie, c'était qu'elle reste exactement dans la position à genoux où elle se trouvait quelques instants plus tôt, et que ses lèvres, qui semblaient si douces, viennent caresser et embrasser son sexe.

Ce qu'il aurait aimé également, c'était lui retirer tous ses vêtements avec ses dents, et l'embrasser sur tout le corps. Il voulait l'exciter à un point tel, qu'elle en oublie tout. Mais plus que tout — oh, oui, — il aurait aimé réaliser son fantasme, et glisser son sexe brûlant dans sa bouche, pour qu'elle le caresse de sa langue chaude.

Inconsciente des démons qui continuaient à l'agiter, Swan semblait perdue dans ses pensées, et se caressait nonchalamment la lèvre inférieure du bout de l'index.

— Eh bien, j'ai l'impression que les agents fédéraux ont une vie plutôt austère, n'est-ce pas ? dit-elle. Enfin, à cause de toutes ces règles que vous devez respecter.

— Je ne la qualifierais pas d'austère, mais nous sommes entraînés à toujours garder notre contrôle.

— Vraiment ? Tout le temps ? N'y a-t-il jamais de situation dans laquelle vous pourriez vous laisser aller ?

— Certainement pas avec vous, si c'est ce que vous voulez dire !

Swan déglutit. Il valait mieux qu'elle n'insiste pas. Pourtant, elle ne pouvait s'empêcher de vouloir continuer cette conversation. Une curieuse sensation s'était emparée d'elle ; soudain, ses seins semblaient à l'étroit dans son soutien-gorge, et des frissons lui hérissaient la peau.

— Si j'ai bien compris ce que vous voulez dire, vous n'avez pas le droit de nouer une relation avec une personne comme moi, peu importe que je sois suspecte ou victime. C'est cela, n'est-ce pas ?

— C'est exactement cela.

— Vous n'avez même pas le droit d'éprouver des sentiments ?

— Les agents du FBI peuvent tout à fait éprouver des sentiments, Swan. Nous sommes humains, que diable ! Mais nous n'avons pas le droit de nous laisser guider par eux.

Elle comprenait parfaitement que les agents du FBI aient à garder une certaine distance envers les personnes avec qui ils travaillaient, mais elle se demanda soudain si les pressions professionnelles n'étaient pas telles que Robert en était arrivé à maintenir chaque personne qu'il rencontrait à distance.

Et si Robert n'était pas autorisé à agir selon ses sentiments, cela expliquait pourquoi il ne s'était pas laissé aller au baiser qu'ils avaient failli échanger la veille, dans la voiture. Mais cela signifiait également qu'elle pouvait flirter avec lui sans risque. Elle pouvait jouer les effrontées, le tenter, le tourmenter, bref, jouer les séductrices comme elle en avait toujours eu envie sans jamais oser le faire.

Tu devrais avoir honte de telles pensées.

Etait-ce sa conscience qui la travaillait ainsi, la voix de sa mère, ou encore celle de Lynne ? Cela en devenait presque effrayant.

— Bon, dit-elle, ne bougez pas d'ici, je reviens tout de suite.

Avant qu'il n'ait eu le temps de protester, elle sortit et se dirigea vers la pièce voisine, où Jo et Gérard étaient en train de répéter, et prit sur les portants des sous-vêtements choisis pour le défilé de San Francisco. Lorsqu'elle revint vers lui, elle avait les mains cachées dans le dos.

— A présent, nous allons être extrêmement professionnels. Je peux compter sur vous ?

Robert hésita un court instant.

— Absolument.

Lentement, elle ramena ses mains sur le devant, et fit apparaître un string en Lycra d'un bleu intense, avec des élastiques noirs sur les hanches.

Elle entendit Robert déglutir.

Il prit le string du bout de l'index, et sans dire un seul mot, se dirigea vers la salle de bains et referma la porte derrière lui.

Pendant qu'il se changeait, elle retourna dans la chambre d'à côté, où se trouvaient Gérard et Jo. Tous deux semblaient beaucoup s'amuser. Pour un homme proche de la cinquantaine, Jo était dans une forme parfaite, mis à part le léger début de ventre dont il s'était plaint la veille. Sa silhouette n'était pas aussi parfaite que celle de Robert, mais il était bien au-dessus de la moyenne. Ce qui lui fit le plus plaisir, fut de le voir exécuter parfaitement les mouvements qu'il devrait faire sur le podium. Il portait les sous-vêtements de Sam le pompier, et elle décida qu'il était absolument parfait.

Gérard portait le costume de Superman, et sa cape bleue voltigea autour de ses épaules lorsqu'il vint la rejoindre.

— Ce mec est parfait, dit-il en parlant de Jo. Comment est le tien ?

— Pas très content de son sort.

— J'ai jeté un coup d'œil tout à l'heure, il me semble qu'il avait l'air plutôt… en pleine forme, dit Gérard en lui faisant un clin d'œil. Que diable lui faisais-tu donc ?

— Rien du tout ! Je prenais ses mesures. Que croyais-tu ?

Gérard la scruta, et soudain son expression se fit plus sérieuse.

— Ecoute, Swan, fais attention à toi. Le fait d'être protégée par un garde du corps en a déjà perturbé plus d'une. Tu n'as pas vu le film avec Whitney Houston ?

— Gérard, je vais parfaitement bien. Soucie-toi du défilé, pas de moi.

— Ne t'inquiète pas, je m'occupe du show. Mais je ne veux pas te voir souffrir, et Robert est tout à fait le type d'homme qui brise le cœur d'une femme. Tu peux me faire confiance. Je m'y connais.

Swan lui tapota le bras.

— Merci pour ta sollicitude, tu es un ami parfait.

— Bien sûr que je le suis. Bon, assez parlé de toi. Il faut que j'apprenne à cet agent du FBI à tenir une lance à incendie.

De nouveau Gérard lui fit un clin d'œil, et Swan se mit à rire.

— Fais plutôt attention à toi, dit-elle en s'éloignant.

Il y avait au moins un million de détails dont elle devait se souvenir pour le défilé de ce soir. Gérard et elle avaient mis en place de nouvelles idées, jusqu'à très tard dans la nuit. En effet, ils n'auraient la possibilité de ne montrer que la moitié de la ligne, ce qui réduirait de façon significative le défilé. Heureusement, Lynne avait fait photographier chacun de leurs modèles, et Gérard avait les clichés en sa possession. Ce qui ne pourrait pas être présenté par les trois hommes, serait projeté sur un écran au fond de la scène.

— Je vous interdis de rire, dit Robert en sortant de la salle de bains.

Lorsqu'il s'approcha, Swan en eut le souffle coupé. Le string bleu sombre le moulait parfaitement. Qui sait pourquoi, cette couleur particulière de bleu royal contre la peau bronzée de Robert, lui fit penser à un sultan dans son harem. Il était absolument superbe.

— C'est un peu lâche sur les côtés, dit-elle la voix rauque.

Elle prit sa corbeille de couture et se dirigea vers Robert. Impossible d'ajuster le string en se tenant debout à côté de lui. Elle s'agenouilla devant lui, et passa délicatement ses doigts entre sa peau chaude et les fines lanières de tissu. Levant les yeux, elle vit qu'il la regardait. Tous ses muscles se soulevaient au rythme de sa respiration, et ses yeux bleus semblaient s'assombrir.

— J'ai juste besoin de le resserrer un peu, dit-elle.

— Bien sûr, pas de problème.

Ses doigts glissèrent lentement le long de sa hanche. Son souffle s'interrompit lorsqu'elle remarqua la légère proéminence qui se profilait entre ses cuisses. Que se passerait-il si elle posait la main dessus ? Que ressentirait-elle ? Et lui, comment réagirait-il ?

— Finissons-en, dit-il.

Il semblait faire un terrible effort pour parler, et Swan sentit un violent désir s'emparer d'elle. Les questions qu'elle se posait quelques secondes auparavant résonnaient dans son esprit, et elle sentait à présent des vagues de chaleur monter en elle du creux de son ventre.

L'érection de Robert devint de plus en plus évidente. Swan écarta les mains de lui.

— Sérieusement, dit-elle, que se passera-t-il si cela arrive sur scène ?

Robert secoua la tête.

— Ne prévoyez aucun sketch avec vous à genoux devant moi, et tout ira bien.

Elle termina d'ajuster les lanières du string, et se releva, sentant un léger vertige l'envahir.

— Maintenant, si vous êtes prêt, dit-elle, Gérard a quelques petites choses qu'il souhaite vous montrer. Notamment la façon de marcher sur un podium.

— Parfait, j'y vais de ce pas. Croyez-moi, cela sera beaucoup moins dangereux pour moi d'apprendre à défiler, même si je devais mettre des talons aiguilles pour cela, que de me retrouver ainsi entre vos mains.

— Vous dormez ? demanda Swan.

Elle était allongée dans l'immense lit de la chambre, les yeux grands ouverts, regardant dans le noir. Il était pratiquement 2 heures du matin lorsqu'ils étaient allés se coucher tous les quatre. C'était une heure plus tôt, et depuis elle n'avait pas réussi à s'endormir. Elle avait besoin d'une bonne tasse de tisane relaxante, comme celle qu'elle avait proposée à Robert, mais elle avait peur de le réveiller, si elle sortait du lit.

— Plus maintenant, marmonna Robert.

— Oh, désolée.

Elle pouvait à peine le distinguer dans le noir, se reposant sur le canapé, les pieds posés sur la table basse.

— Pas de problème, dit-il en se levant pour s'étirer. De toute façon, je ne suis pas supposé dormir. Bon sang ! Quelle journée épuisante.

Heureusement, il ne pouvait pas la voir sourire. Il n'avait rien fait d'autre dans la journée que de la laisser lui prendre ses mesures et de s'entraîner pour le défilé. C'était cela qu'il considérait comme épuisant ? Peut-être aurait-il préféré poursuivre des voleurs en voiture. Il est vrai que Robert semblait bien plus à son aise dans des situations de danger. Apparemment, la seule chose qu'il ne souhaitait pas mettre en jeu, étaient ses émotions.

— Pourquoi est-ce que Jo ne prend pas de tour de garde ? demanda-t-elle.

Robert sembla hésiter un instant, et se tourna vers elle dans le noir.

— Est-ce que vous…

Il s'arrêta brusquement, laissant la phrase en suspens.

Swan aurait aimé voir l'expression de son visage. Peut-être ainsi aurait-elle pu deviner ce qu'il avait été sur le point de dire.

C'est ce que tu veux, Swan ? Ce dont tu as besoin, c'est Jo, à ma place ?

Elle aurait aimé voir s'il y avait un soupçon de déception dans son visage, juste une simple trace pour prouver qu'elle avait un quelconque effet sur lui. Après tout, Robert Gaines ne pouvait pas être imperméable à toutes les émotions.

— Etes-vous déjà tombé amoureux ? demanda-t-elle soudainement.

— J'ai été fiancé une fois, mais cela n'a pas marché, répondit-il.

— Il y a combien de temps ?

— C'était il y a bien longtemps. Une éternité.

— Une éternité, c'est très long. Vous n'avez eu aucune relation sérieuse depuis ? Ça doit être dur.

— Je n'ai même pas seulement pensé à en avoir. Une liaison avec une femme peut devenir un véritable cauchemar. Regardez la situation dans laquelle nous sommes.

— Vous appelez cela une relation ?

— Ça n'en est peut-être pas une, mais c'est déjà l'enfer. Imaginez un peu ce que cela serait, si nous allions plus loin.

Swan ne répondit pas, et le silence s'installa entre eux. Soudain, Robert la surprit en se mettant à la questionner à son tour.

— Qu'en est-il de vous ? demanda-t-il. Vous avez un petit ami ? Un fiancé ? Un amant secret ?

Swan se retint de sourire.

— C'est vous-même qui m'avez dit que j'étais placée sous surveillance, et je suis sûre que vous avez un dossier complet sur moi. Ce qui signifie que vous savez déjà qu'il n'y a personne dans ma vie.

Et qu'il n'y a eu personne depuis un bon bout de temps.
Elle étira ses bras.

— Si vous voulez tout savoir, dit-elle, mon dernier rendez-vous remonte déjà à deux ans. Depuis je me suis complètement investie dans mes collections.

— Je ne vous ai même pas vu passer de coups de fil personnels, continua-t-elle, vous n'avez donc pas de famille ? Des frères ou des sœurs ?

— J'ai une petite sœur, c'est tout ce qui me reste.

— Oh, je suis désolée. Vous avez perdu toute votre famille ?

Elle se tourna pour regarder dans sa direction. Elle ressentit de la sympathie envers lui, mais ne s'assit pas pour autant dans le lit. Il en avait déjà dit bien plus qu'elle n'en attendait, et elle avait l'impression que si elle bougeait, elle risquait de briser le fragile lien qui venait de s'établir entre eux. De plus, il lui semblait qu'il n'y avait que peu de tristesse dans sa voix. Ce qu'elle entendait ressemblait plutôt à de la résignation.

— Ce n'est pas ce que vous pensez, dit-il. Personne n'est mort tragiquement, mais les choses n'allaient pas très bien à la maison et mon père est parti. J'avais onze ans, lorsqu'il nous a abandonnés. Ma petite sœur n'en avait que sept. Il n'est jamais revenu, et ma mère s'en est trouvée de plus en plus mal.

— Elle était malade ?

— On peut le dire ainsi. Moi je dirais plutôt qu'elle s'est suicidée à petit feu.

Swan soupçonna qu'il parlait de drogue ou d'alcool, mais elle ne lui posa pas la question. De nouveau, elle sentit qu'ils se dirigeaient vers le territoire dangereux des émotions, mais elle savait aussi que s'il se laissait enfin aller à parler, il se sentirait mieux.

Apparemment, Robert ne devait pas partager les mêmes pensées qu'elle. Il se tut de nouveau, se cala au fond du canapé, et une nouvelle fois le silence emplit la pièce, comme une barrière entre eux deux.

— Ça a dû être vraiment difficile, dit-elle, incapable de prononcer d'autres mots.

— Bien des enfants ont connu pire.

Elle fit une nouvelle tentative, un autre pas dans l'intimité de Robert Gaines.

— Et votre sœur, elle va bien ?

Elle eut l'impression de le voir hocher la tête, mais dans l'obscurité elle n'était sûre de rien.

— Ma sœur s'est engagée dans l'armée. Actuellement elle réside en Allemagne, et je ne lui parle pas aussi souvent que je le devrais.

Pour la première fois, elle sentit une pointe de regret, peut-être même de tristesse, mais néanmoins un soupçon de fierté. Visiblement, il adorait sa sœur, et vu ce qu'il venait de lui dire de leur situation familiale, il avait certainement contribué à son éducation. Oui, Robert avait certainement dû prendre des responsabilités dès ses onze ans, et se retrouver confronté à des situations que les autres gamins de son âge ne connaissaient même pas.

— Moi aussi, j'ai perdu mon père, mais pas de la même façon que vous.

— Je sais. C'était un musicien de rock avec des rêves de gloire, et votre mère a eu la faiblesse de croire qu'elle pourrait le changer. Ils n'étaient même pas mariés depuis un an qu'elle a divorcé de lui, mais entre-temps elle s'est retrouvée enceinte de vous.

— Comment savez-vous tout cela ? s'étonna-t-elle.

— C'est dans votre dossier.

Elle soupira.

— C'est vraiment injuste, Gaines. Je tiens à vous le dire.

— Quoi donc ?

— Y a-t-il quelque chose que vous ne sachiez pas à mon sujet ?

Jamais, elle n'avait rencontré son père. Il était parti bien avant sa naissance, et n'avait jamais regardé derrière lui. La dernière chose que sa mère et elle avaient entendue à son sujet, était qu'il avait rejoint une communauté hippie quelque part dans le Pacifique Nord. C'était il y a déjà dix ans, et elle n'avait jamais ressenti le besoin de le contacter. Mais Robert devait savoir cela également.

— Je sais certaines choses, répondit-il, mais c'est tout. Mis à part les informations que je viens de vous donner, vous êtes un véritable mystère pour moi, Mc Kenna.

Elle était soulagée de le savoir, et puisqu'il venait de lui poser une question sur ses relations personnelles, elle pouvait bien partager quelques informations avec lui.

— Dans ce cas, peut-être aimeriez-vous connaître un secret ?

— Je payerais pour cela, miss.

Elle sourit dans l'obscurité.

— Une fois, j'ai eu un coup de foudre pour le chauffeur qui travaillait pour la mère de Lynne. J'étais encore une gamine, je n'avais que seize ans, et lui approchait les vingt ans, mais j'étais vraiment accro, si vous voyez ce que je veux dire. Il avait l'habitude de se balader torse nu. Lynne et moi passions des heures dans sa chambre à elle, à discuter à son sujet. Elle savait que j'étais éprise de lui, et n'avait de cesse de me mettre au défi de lui parler pendant qu'il lavait les voitures. Je pense qu'elle s'efforçait également de le pousser dans ma direction. Je n'ai jamais réussi à le lui faire avouer, mais je sais qu'elle le faisait.

— Seize ans ? Mais vous étiez mineure. Ce gars aurait dû être plus prudent.

Elle baissa la voix.

— Si seulement l'un de nous trois avait été plus prudent, dit-elle.

— Vous avez couché avec lui ?

Swan hésita, se demandant si elle pouvait vraiment lui raconter toute l'histoire. Il pourrait si facilement la juger pour des actes accomplis à un âge où les hormones vous montent à la tête, et où les jeunes filles ne prennent pas toujours les bonnes décisions. D'un autre côté, c'était probablement la seule chose dingue qu'elle avait faite de toute sa vie. Mais cela, il ne pouvait pas le savoir.

— Swan ? Que s'est-il passé avec ce jeune homme ?

— Un après-midi où il faisait très chaud, je lui ai apporté un verre de limonade, et ma mère nous a vus parler ensemble pendant qu'il lavait l'une des voitures. Plus tard, elle m'a sermonnée durant des heures, sur les dangers de se lier avec un spécimen de la gent masculine. Elle m'a dit qu'on ne pouvait pas faire confiance aux hommes, et que, si j'avais envie de tomber amoureuse, cela devrait être d'un homme gentil et correct. Or, selon elle il n'y en avait aucun de tel dans notre entourage, ni même à des milliers de kilomètres à la ronde. Donc la meilleure chose pour moi, était d'apprendre à veiller toute seule sur moi.

— Et ce fut la fin de l'histoire ?

— Grand Dieu ! non, ce ne fut que le début. J'ai envoyé Lynne lui dire que je n'étais plus autorisée à lui parler, et elle est revenue après avoir mis un plan en place. Elle avait prévu que lui et moi nous retrouvions dans l'immense garage où il s'occupait de réparer les voitures. Il vivait dans un petit appartement juste à côté. Naturellement, je suis allée le retrouver, et peu de temps après, nous avons commencé à nous voir régulièrement, en cachette bien sûr.

Cette fois, elle s'assit dans le lit, et tira l'édredon vers elle.

— Vous connaissez la suite de l'histoire. Je suis tombée amoureuse de lui, et il m'a brisé le cœur, exactement comme ma mère l'avait prédit. Nous ne nous sommes fréquentés que quelques mois, avant qu'il ne s'amourache d'une serveuse qui travaillait dans un des cafés de la plage. Lorsque je lui ai demandé pourquoi, il m'a répondu qu'elle, au moins, avait de la conversation. Bon sang ! Cela m'a fait mal. J'ai eu l'impression que j'allais mourir.

A cet instant précis, elle ressentait encore toute la douleur de la séparation, et souhaitait n'avoir jamais entamé cette conversation. Elle avait l'intention de pénétrer l'intimité de Robert, et au lieu de cela, c'était elle qui avait dévoilé la sienne. Visiblement, elle n'avait toujours rien appris de la vie.

— Effectivement, on dirait bien que vous étiez accro.

— C'était le cas, comme on peut l'être à cet âge. Mais je crois que ce que je recherchais, c'était qu'il m'aime et m'accepte telle que j'étais. A cette époque, je ne savais pas exactement qui j'étais, je cherchais ma voie.

— Et vous avez certainement cru tout ce que votre mère vous a dit à propos des hommes, n'est-ce pas ?

— Oui. Elle m'a convaincue que l'on ne pouvait pas faire confiance aux hommes et je lui ai donné raison. Je crois que j'ai renoncé à toute relation sérieuse avant même d'en avoir connu une. Et je n'ai plus guère d'espoir de rencontrer le prince charmant dont me parlait ma mère.

— Je crois que je dois m'excuser pour… Enfin, disons l'état dans lequel je me suis trouvé face à vous lorsque j'ai essayé le string. Cela n'aurait jamais dû arriver.

Il secoua la tête, puis ajouta :

— A propos des communications téléphoniques personnelles, vous êtes tout à fait libre d'en passer. Evidemment, vous ne devez absolument pas parler de notre opération, mais peut-être avez-vous envie de parler à quelqu'un, peut-être votre mère ?

— Merci, mais il faudrait que je lui mente, et je ne m'en sens pas capable.

A travers l'obscurité, elle vit Robert se lever et s'étirer. Il soupira, et fit quelques élongations. Elle le regardait avec une telle intensité, que lorsqu'il se tourna vers elle, elle pensa qu'il allait venir directement jusqu'à son lit. Mais elle fut déçue.

— Vous feriez mieux de dormir, dit-il.

Elle tira un peu plus l'édredon vers elle, et se pelotonna dans le lit.

— Et vous ? Quand dormez-vous ?

— J'irai réveiller Jo à 7 heures, puis je prendrai une douche et me relaxerai durant quelques heures.

Il retourna vers le canapé et s'assit. Elle continua à le regarder tandis que son ombre se mêlait à l'obscurité de la pièce, le faisant presque disparaître de sa vue.

— Merci, chuchota-t-elle.

— De quoi ?

— De m'avoir parlé. De m'avoir écoutée.

— Ça été un plaisir.

Elle sourit.

— Pareil pour moi.

7.

Pour la première fois de sa vie, Robert avait bien envie de se dégonfler devant la mission qui lui avait été assignée. Il y avait trop de femmes dans cette salle, trop de bruit et d'agitation, et pas suffisamment de vêtements à se mettre sur le dos. La seule chose qui recouvrait son corps quasiment nu était le peignoir en éponge que Swan avait emprunté à l'hôtel. Sans compter que, pour chauffer l'ambiance, la boutique La Bomba avait décidé de servir des coupes de champagne à son public.

Trop de femmes ? Jamais il n'aurait cru être capable d'une telle pensée ! Il n'était vraiment pas au mieux de sa forme. La peur n'était pas une émotion que devaient connaître les agents du FBI, car elle pouvait vous détruire bien plus vite qu'une simple balle. Jusqu'à présent, il avait toujours réussi à contrôler ses émotions.

Il était vraiment mal à l'aise, le ventre noué, le front moite, et ses mains étaient engourdies par le trac. Heureusement, Swan avait parfaitement ajusté son string. Bon sang ! Rien que de penser à la séance d'essayage, il en avait encore des frissons. Elle avait également insisté pour qu'il enduise son corps de gel couleur bronze, et à présent, non seulement il luisait de partout, mais de plus, il embaumait la noix de coco.

Finalement, il trouva le courage de détacher son peignoir et le laissa grand ouvert. A présent, il allait devoir s'habituer à l'idée de marcher sur le podium dans sa minuscule tenue. Oui, il faudrait qu'il se lance de l'autre côté du rideau, droit dans l'arène. Pour l'instant, Gérard, Jo et lui attendaient dans les coulisses de la boutique La Bomba de San Francisco, qui bourdonnaient d'une activité de dernière minute. Diverses personnes se trouvaient là, qu'il n'avait encore jamais vues, et cela le rendait nerveux pour la sécurité de Swan. Néanmoins, Gérard lui avait assuré que ce n'étaient que des amis à lui. Puisque Jo et lui se trouveraient sur le podium, il avait également dû prendre ses dispositions pour la sécurité et avait enjoint les vigiles d'être sur leurs gardes et de vérifier tout comportement suspect.

Ce n'était pas le plan idéal, mais c'était toujours mieux que de devoir expliquer à ces vigiles pourquoi Jo et lui se promenaient quasiment nus sur le podium.

Le défilé devait commencer bientôt. Il était impressionné par toute l'organisation qu'il avait fallu mettre en place. Les divers costumes devaient être accrochés sur des portants, chacun étiqueté avec le nom du mannequin, et également un numéro de passage. La musique et la lumière devaient être accordées à la seconde même. La sono qui diffusait la voix de Swan avait dû être testée à plusieurs reprises, jusqu'à ce que tout soit parfait. Tout ce travail avait été effectué par une équipe de volontaires, et quelques membres du personnel de la boutique.

Gérard, qui porterait trois tenues différentes, s'était improvisé directeur de la cabine, et Robert ne pouvait que lui tirer son chapeau. Visiblement, le jeune homme connaissait parfaitement son travail, et il avait même insisté cet après-midi pour qu'ils fassent une répétition en costumes tous les trois. A présent, dix minutes avant que le défilé ne commence, Robert était content d'avoir répété. Au moins, savait-il à présent comment il devait marcher sur le podium, et où s'arrêter.

« Prenez vos marques, ne regardez pas vos pieds, et tout sera parfait », lui avait répété Swan toute la matinée.

Son partenaire, lui, semblait complètement à l'aise. Il portait, lui aussi, un peignoir en éponge de l'hôtel, mais contrairement à lui, qui n'avait pas été capable de s'asseoir plus de deux minutes, Jo s'était installé sur une chaise à une petite table en métal et lisait un exemplaire du *Wall Street Journal*. Cet idiot était plus concentré sur sa revue que sur ce qui se passait ici. Ne se rendait-il pas compte que le danger pouvait survenir à chaque instant ?

Swan se tenait à la console de son, et discutait avec un des techniciens, un ami de Gérard. Aujourd'hui, elle portait un petit top argenté, lacé dans le dos, qui révélait sa peau, et un pantalon assorti.

Elle n'était pas très loin de lui, mais à cause du bruit, il ne pouvait pas entendre ce qu'elle disait. Elle regarda dans sa direction et lui sourit. Il lui sourit en retour, d'un air contrit. Il continua à la regarder, tandis qu'elle approuvait visiblement ce que lui disait le technicien, puis elle se dirigea vers lui, son agenda coincé fermement sous son bras.

— Comment vous sentez-vous ? demanda-t-elle.

— Un peu nerveux.

— Ne vous inquiétez pas, tout va bien se passer. Les spectatrices vont vous adorer.

— Je ne veux pas qu'elles m'adorent, je veux que tout le monde s'en aille.

Le public commençait à manifester son impatience, lançant quelques applaudissements et tapant du pied.

— Allons-y ! cria Swan.

Elle réunit les trois hommes.

— Allez, messieurs, c'est l'heure. Si vous avez une dernière question, profitez-en maintenant. Robert, vous êtes le premier. Mais ne revenez pas dans la cabine avant de m'avoir entendue vous remercier dans le micro.

Il hocha la tête, et malgré son trac, eut la présence d'esprit de se rapprocher de Jo.

— Rappelle-toi notre plan, lui dit-il. Dès que je serai sorti d'ici, ne quitte pas Swan des yeux. Regarde-la à chaque instant, et n'oublie pas de surveiller également son agenda, parce qu'elle devra le laisser sur son pupitre pendant qu'elle viendra faire son numéro avec chacun d'entre nous.

Jo sourit.

— Ecoute plutôt ces femmes, derrière le rideau. En as-tu déjà entendu d'aussi excitées ? J'ai attendu cela toute ma vie.

Robert sentit une vague de désespoir l'envahir.

— Tu es complètement dingue, tu le sais ?

— C'est parti, les amis, dit Swan en prenant une profonde inspiration et en montant sur scène. Croisons les doigts.

Robert la regarda disparaître derrière le rideau sombre et s'engager sur le podium. Il entendit un tonnerre d'applaudissements et soupira intérieurement.

— On y va, les gars, dit Gérard en retirant son peignoir. Déshabillez-vous, prenez vos marques et lancez-vous.

Robert avait envie de l'étrangler. Un des strings de la collection ferait bien l'affaire !

— Amuse-toi bien, lui chuchota Jo.

— Oui, c'est ça, compte sur moi ! répondit-il.

La voix de Swan résonna dans la boutique tandis qu'elle présentait la collection. La clameur qui lui répondit fit craindre à Robert que des femmes ne se soient précipitées sur la scène. Cette pensée l'inquiéta, et en écoutant attentivement la voix de Swan, il se rendait bien compte qu'elle-même était quelque peu dépassée par la réaction du public.

Swan se sentait comme un dompteur sur la piste d'un cirque, se demandant si son lion le plus sauvage n'allait pas s'emballer. La foule impatiente, qui semblait prête à rugir dès le premier passage, aurait pu effrayer le plus expérimenté des mannequins. Que dire alors de ces trois débutants ? Elle savait que Gérard et Jo seraient parfaits. Même s'ils n'avaient pas l'air de pros, leurs fortes personnalités leur permettraient de s'en sortir sans dégâts. Robert était le paramètre inconnu. Bien sûr, il ne saboterait pas délibérément son défilé, mais elle avait remarqué dans la cabine qu'il donnait des signes de frayeur, et s'il ne se ressaisissait pas très vite, tout pourrait tourner au cauchemar.

Soudain, elle eut une idée. Evidemment, elle n'aurait pas le temps de les prévenir, mais cela valait la peine d'essayer. Peut-être que si elle faisait sortir Jo ou Gérard en premier, cela briserait la glace et aiderait Robert à se détendre. Bien sûr, cela pouvait également avoir l'effet contraire, mais comment savoir ? Dès qu'elle aurait commencé à parler, la musique et les lumières se mettraient en marche, et elle savait que les trois hommes attendaient déjà en rang derrière le rideau. Gérard avait veillé à tout.

Elle tendit le bras vers un carton sous l'estrade, et en retira une chemise, un chapeau et un sifflet. Elle enfila la chemise qu'elle laissa grande ouverte sur son top, et posa le chapeau sur sa tête.

— Mesdames et Messieurs, voici Jo, notre basketteur !

Jo surgit de derrière le rideau, comme s'il avait lu dans ses pensées. Il dribblait avec son ballon sur le podium, et portait des sous-vêtements noirs, de coupe sportive. Son habileté durant la répétition avait surpris tout monde, même Robert.

Il vint se placer sur le podium, comme lui avait appris Gérard, et effectua quelques mouvements avec son ballon. Il dribbla d'avant en arrière, lança le ballon en l'air, puis le

113

fit tourner sur le bout de son index. C'était presque parfait. Puis il lança de nouveau la balle, la fit retomber sur sa tête, et d'un petit mouvement sec, la rattrapa derrière lui.

Les applaudissements crépitèrent.

« Pourvu que Robert s'en sorte aussi bien », songea Swan.

— Jo portait des sous-vêtements de notre ligne sportive, dit-elle en s'adressant à la foule. Peu importe le sport préféré de votre mari ou de votre petit ami, celui-ci appréciera certainement le confort offert par ces sous-vêtements.

Elle reposa son micro, et se dirigea à petites foulées au milieu du podium, vers Jo. Elle se sentait un peu nerveuse, mais son sourire amical l'aida à se relaxer. Elle lui lança un second ballon, et Jo commença à dribbler avec les deux balles. De nouveau elle le mit à l'honneur, en répétant son nom et en applaudissant bien fort. Le numéro touchait à sa fin, mais Jo n'avait pas l'air de vouloir s'arrêter. Il se tourna vers le public excité et toujours en dribblant, fit plusieurs allers et retours sur le podium, jonglant, tournant sur lui-même, ou posant un genou à terre. La salle lui fit une ovation. Swan était aussi surprise que le public, et l'acclama bien fort.

Au moins, l'un des trois était-il à son aise sur un podium !

Swan décida de laisser un peu plus de temps à Robert, et appela Gérard. Sachant qu'il serait dur de succéder à Jo, elle décida de chauffer l'ambiance, et apostropha la foule. Gérard fit son entrée sur un vélo emprunté à l'un de ses amis de San Francisco. Il portait un slip moulant rayé gris argent et noir, une veste de cuir noir, et des gants, et pédala jusqu'à l'autre bout du podium, où il s'arrêta et descendit de vélo.

— N'avez-vous jamais secrètement fantasmé sur un beau cycliste, mesdames ? demanda Swan.

Pendant qu'elle s'adressait au public, Gérard commença lentement son strip-tease, retirant ses gants, et les lançant dans la foule. Toutes les femmes étaient debout lorsqu'il enleva sa veste, une manche après l'autre, un instant plus tard ; il enroula sa veste autour de sa taille, comme une serviette de bain.

C'était drôle, très sexy, et le public applaudit chaleureusement. Gérard déambula sur le podium, prit diverses poses, puis finalement déboutonna sa veste et la lança dans le public. Puis il enfourcha de nouveau son vélo, remonta la scène en pédalant, et juste avant d'arriver devant les coulisses, se retourna une dernière fois pour saluer la foule.

C'était à présent le tour de Robert. Chacun des deux sketches avait duré environ cinq minutes, ce qui lui avait laissé dix minutes pour se détendre. Pourvu que cela ait été suffisant.

La musique se fit plus forte, puis on entendit un roulement de tambour.

— A présent, changement de programme, dit Swan. Souvenez-vous des chasseurs, des trappeurs qui rôdaient silencieusement dans les forêts, des Indiens qui traversaient les plaines. Souvenez-vous de ces aventuriers, alors que nous vous présentons le plus sexy d'entre eux, notre grand chasseur.

Robert apparut sur la scène, tenant une arbalète dans sa main droite, un étui à flèches en bandoulière sur son torse. Son visage ne reflétait aucune expression particulière, mais sa démarche était volontaire et précise.

Son allure impassible eut l'effet désiré. Tout le public sembla retenir son souffle, et Swan fit de même. La musique des tambours se fit plus puissante et plus sourde, emplissant la salle, tandis que les lumières diminuaient de plus en plus. Soudain, un projecteur l'éclaira, mais Robert resta toujours aussi concentré. Il était un véritable chasseur, parfaitement maître de lui-même.

Il retira une flèche de son étui et arma son arbalète. Puis, prenant appui sur ses jambes, il visa le plafond. On avait l'impression qu'il voulait atteindre une étoile dans le ciel. Swan resta silencieuse ; ce que faisait Robert était entièrement inédit. Cela ne faisait pas partie de ce qu'ils avaient mis en place, et elle attendait en silence de voir la suite.

Il y eut quelques applaudissements, qui s'arrêtèrent aussitôt. Pas plus qu'elle-même, le public ne semblait savoir comment réagir. Sa performance avait réussi à rendre toutes ces femmes sans voix, mais Swan savait quelque chose qu'elles ignoraient. Ce n'était pas une performance, pas un jeu. C'était tout simplement Robert, et sa personnalité si virile. Elle était si troublée, qu'elle ne savait plus que penser, tandis qu'il baissait son arc, se retournait et marchait vers elle, le long du podium.

— Le chasseur, dit-elle.

Elle était incapable d'ajouter quoi que ce soit d'autre.

Heureusement, le technicien commença à projeter les différentes diapositives de la collection. En tant que maître de cérémonie, elle allait décrire les avantages de sa collection, ce qui laissait le temps aux trois hommes de se changer pour les prochains sketches.

« Encore deux autres et tout serait terminé », songea-t-elle. Finalement tout avait l'air de se passer mieux qu'elle ne l'avait redouté.

Gérard et Jo apparurent de nouveau sur le podium, enchaînèrent leurs sketches, puis ce fut le tour de Robert. Dès qu'il entra sur scène, Swan entendit un murmure d'appréciation dans la foule.

Quel effet cela pouvait-il lui faire de se rendre compte que toutes ces femmes étaient folles de lui ? Parce qu'il devait bien en être conscient, non ?

Il était absolument superbe dans cette tenue baptisée « camouflage ». Le string le moulait parfaitement, pas la peine de se demander pourquoi les femmes restaient sans voix. Outre son string, il ne portait qu'une paire de bottes militaires. C'était une allure qui exsudait la puissance et le pouvoir physique. Swan sentit son ventre se nouer. Jusqu'à présent, elle n'avait pas encore vu Robert dégager une telle sensualité.

Soudain, la musique changea, et elle se rappela qu'elle avait un show à commenter. Robert avait atteint ses marques, et il attendait au centre de la scène, lui tournant le dos. Ses propres accessoires, un chapeau de sergent instructeur et une cravache étaient cachés sous sa petite estrade. Elle mit le chapeau sur sa tête, s'empara de la cravache, puis s'avança vers Robert.

— Je crois qu'il est temps que je mène l'inspection, qu'en pensez-vous, Mesdames ?

Le public approuva en hurlant.

Elle fit le tour de Robert, tapotant sa cravache dans la main.

— Un homme dans une telle tenue est toujours prêt pour toutes sortes d'exercices, n'est-ce pas soldat ?

Elle lui tapota légèrement les fesses avec sa cravache, juste assez pour attirer son attention.

— Encore, cria le public.

— Qu'est-ce qui vous prend ? marmonna Robert.

— Ai-je entendu un « oui, madame » ? demanda-t-elle en le tapotant de nouveau, un peu plus fort cette fois.

La cravache laissa une petite marque rouge sur sa fesse, et elle leva les yeux vers lui pour voir sa réaction. Il garda les

117

mâchoires serrées, mais elle savait qu'il était surpris. Elle ne lui avait pas parlé de la cravache avant le défilé, parce qu'elle n'avait pas l'intention de l'utiliser. C'était Gérard qui la lui avait donnée, comme un jeu.

Pourquoi avait-elle changé d'avis ? Pourquoi avait-elle décidé de l'utiliser finalement ? Elle n'en avait aucune idée. Peut-être avait-elle envie de bousculer Robert, de le faire sortir un peu de sa réserve, même si cela n'était peut-être pas très futé de sa part d'agir ainsi en public.

Lentement, elle marcha autour de lui, le détaillant de la tête aux pieds. Bon sang ! Il était magnifique. Quel effet cela lui ferait-il de le caresser sur tout le corps ? Elle avait déjà eu l'occasion de poser ses mains sur lui pour prendre ses mesures, mais qu'en serait-il si elle pouvait le caresser de façon beaucoup plus intime ?

C'était une véritable tentation, et le fait que Robert ne puisse rien dire ni faire, l'excitait au plus haut point. Oh oui, elle ressentait l'irrésistible besoin de le faire sortir de ses gonds, de jouer avec lui, sans lui laisser la moindre possibilité de réplique.

Elle fit le tour complet de sa personne, l'inspectant aussi minutieusement derrière que devant.

— Je crois que notre soldat a correctement passé l'inspection, dit-elle.

La foule approuva.

Elle fit courir l'extrémité de sa cravache sur ses pectoraux, puis, remontant lentement, caressa sa pomme d'Adam.

Robert n'émit qu'un grognement rauque. Ses yeux bleus semblaient de glace et il avait l'air furieux. Le public semblait penser que tout cela faisait partie du jeu, mais Swan savait pertinemment que s'il en avait la possibilité, il attraperait l'extrémité de la cravache, l'attirerait vers lui, et qu'elle passerait sans aucun doute un mauvais quart d'heure.

De nouveau, elle caressa sa poitrine avec la cravache, puis la fit descendre sur ses abdominaux. Lorsqu'elle arriva juste en bordure du string, elle caressa langoureusement son bas-ventre de droite à gauche, d'une hanche à l'autre. Plusieurs femmes de l'assistance poussèrent un profond soupir. Elles auraient certainement apprécié que Swan glisse la cravache à l'intérieur du string, qu'elle l'écarte légèrement et qu'elle jette un coup d'œil à l'intérieur. Oserait-elle ?

— Alors, on cache des grenades là-dedans ? demanda-t-elle.

Après tout, elle ne s'en sortait pas si mal. Tout cela n'était que du spectacle, finalement. Leur but était de vendre des sous-vêtements, non ? Pourtant, lorsqu'elle leva les yeux vers lui, elle n'en était plus aussi sûre. Si le public semblait ravi, Robert, lui, ne semblait pas du tout apprécier son petit jeu.

Elle écarta un instant le micro de sa bouche, faisant mine de le régler.

— Nous sommes là pour vendre la collection, murmura-t-elle. Détendez-vous et amusez-vous, d'accord ?

— Oh, mais j'ai bien l'intention de m'amuser, dit Robert.

Cela ressemblait à une menace, et afin d'éviter son regard, elle se tourna vers le public.

— Vous m'avez bien entendue lui demander de ne pas parler ?

La foule cria un oui massif. Swan hocha la tête. Apparemment, le public souhaitait que ce mauvais garçon reçoive la punition qu'il méritait.

— Apparemment, il est un peu lent à la détente, dit-elle.

Elle regarda Robert intensément, et fit la moue, semblant réfléchir. Après un petit moment passé à le contempler, elle passa derrière lui, glissa un doigt dans l'élastique de son string, le tira à son maximum, puis le laissa claquer sur ses fesses.

Il poussa un cri, presque animal. Une onde de choc sembla hérisser son dos, et le sourire de Swan s'évanouit. N'avait-elle pas dépassé les limites ? Bon sang ! Dès qu'il en aurait l'occasion, il allait l'étrangler sur place. Elle ferait mieux de prendre le premier avion venu, et de s'enfuir à l'autre bout du monde. Parce qu'il n'allait certainement pas laisser passer cela.

Le plan était que Swan se mêle à la foule lorsque le défilé serait fini, son agenda bien en évidence sous son bras. A un moment donné, sur un signal de Robert, elle se retirerait dans un coin choisi de la boutique, et attendrait là-bas, seule, faisant mine de vouloir passer un coup de téléphone. Cela donnerait au complice d'Arthur une excellente opportunité de l'approcher. Bien sûr, elle serait sous surveillance, et Robert et Jo seraient prêts à intervenir en cas de besoin.

Au lieu de cela, elle se précipita en coulisses, dès que le défilé fut terminé. Elle pensait que Robert l'attendrait quelque part, mais elle ne vit que Gérard et son équipe, qui célébraient leur succès avec quelques coupes de champagne. Jo était avec eux également. Elle leur fit le V de la victoire, mais ne se joignit pas à eux. Elle se dirigea directement vers le petit vestiaire que la boutique leur avait autorisé à utiliser. Peut-être Robert était-il en train de se changer.

Lorsqu'elle y pénétra, la pièce sembla vide, elle se sentit un instant soulagé. Elle voulait s'excuser, mais cela serait peut-être mieux si elle avait un peu de temps pour se préparer. La cabine d'essayage était assez grande, et comportait une table de maquillage ainsi qu'un lavabo. Elle ouvrit le robinet, laissa couler l'eau un moment, puis se rafraîchit le visage.

Elle commençait à se détendre. C'était exactement ce dont elle avait besoin.

Elle était toujours penchée au-dessus du lavabo, yeux fermés, lorsqu'elle sentit une tape sur son épaule. Inutile de se retourner. Elle le vit dans le miroir, à l'instant même où elle ouvrit les yeux. Il s'était changé, et avait revêtu un jean et une chemise décontractée.

— Vous ! dit-il d'une voix grave.

Avant qu'elle n'ait eu le temps d'ouvrir la bouche, il l'attrapa par les épaules, la fit se retourner, et la plaqua contre le lavabo.

— Justement, je vous cherchais, rétorqua-t-elle.

— Vraiment ?

Etait-ce vraiment une cravache qu'il avait dans les mains ? Elle regarda sur la chaise où elle avait laissé la sienne, et vit qu'elle n'y était plus.

— Oui, je voulais m'excuser.

— Ah, oui ? Vous excuser pour quoi ?

Il tapota la cravache dans sa main, exactement comme elle l'avait fait sur scène.

— A cause de cela, peut-être ?

Elle tenta de se glisser sur sa droite, mais il fit un pas en avant, lui coupant le passage.

Elle se força à sourire. Peut-être réussirait-elle à l'amadouer, en flattant son ego masculin.

— Vous savez, vous avez fait un véritable tabac, là-bas. Tout le monde vous adore. Ils vont en parler durant des jours entiers.

— Peut-être aurais-je pu faire encore mieux, si j'avais un peu d'expérience avec une cravache, dit-il. Pourquoi ne m'entraînerais-je pas dès à présent ?

Il passa son index dans la boucle de la ceinture du pantalon de Swan et l'attira vers lui. Ses talons glissèrent sur le sol lorsqu'elle tenta de lui résister.

Il commença à tourner autour d'elle, comme elle l'avait fait un peu plus tôt. Ses yeux la parcouraient lentement de haut en bas. Lorsqu'il passa derrière elle, elle sentit son petit top en lamé argent se détacher. Aussitôt elle tendit les bras pour l'empêcher de tomber et se couvrit la poitrine de ses mains.

— Que faites-vous ? chuchota-t-elle.

— Oh, je suis vraiment désolé. Ou plutôt, devrais-je dire détendez-vous et amusez-vous ?

De nouveau il posa son regard intense sur elle, spécialement sur ses mains qui cachaient ses seins. Puis, il baissa la cravache et commença à la faire glisser sur ses cuisses. Puis il remonta, et lui tapota légèrement le ventre.

Swan ne savait plus si elle mourait de peur ou de désir.

— Peut-être devrais-je mener *mon* inspection, à présent ? suggéra-t-il.

— Ce n'était qu'un jeu, Robert, un sketch destiné aux spectateurs.

— Vous ai-je donné la permission de parler ?

Swan sentit sa gorge se serrer. Oh oui, elle allait passer un mauvais moment.

Robert fit claquer la cravache sur elle.

— Aïe ! Je ne vous ai pas frappé aussi fort.

Bien sûr, elle n'avait pas eu mal, mais elle voulait qu'il pense le contraire. Malheureusement, il était toujours derrière elle, et elle ne pouvait pas voir son expression. Et elle n'avait pas l'impression que le fait de se retourner soit une bonne idée.

— Vous avez raison, c'était plutôt comme cela.

Il donna un nouveau petit coup.

Elle grimaça, mais ne bougea pas lorsqu'il vint se placer devant elle. Il posa l'extrémité de la cravache sur son cou, la fit descendre entre ses seins, et appuya juste assez pour la repousser tout contre le mur. Elle ne pouvait plus reculer, pourtant Robert approcha encore d'elle, jusqu'à ce qu'il soit tout contre elle.

Il la regardait de la même façon qu'un homme qui a envie d'embrasser une femme. Ou de la prendre sur ses genoux pour lui donner une fessée.

— Vous ne pouvez pas faire cela, murmura-t-elle.

— C'est moi qui tiens la cravache, je fais ce que je veux. Ce n'est pas ce que vous disiez sur scène ?

— Vous êtes un agent fédéral, et moi je suis une suspecte. Tout cela est contre la loi, n'est-ce pas ? Vous n'êtes pas autorisé à poser les mains sur moi à moins que... je vous résiste, par exemple.

Après tout, si elle se souvenait bien de tous les téléfilms policiers qu'elle avait regardés à la télévision, les suspects avaient bien des droits, n'est-ce pas ?

— Que vais-je faire de vous, mademoiselle Mc Kenna ? Vous plaquer contre le mur et vous embrasser ?

— Vous ne pouvez pas, murmura-t-elle.

— Je ne vois personne dans cette pièce pour m'en empêcher, dit-il.

Swan sentit le cuir de la cravache juste sous son menton. Il était en train de lui relever la tête, d'approcher ses lèvres des siennes. Il pencha la tête vers elle pour l'embrasser.

Elle ferma les yeux, s'offrant à lui, savourant l'exquise sensation d'être plaquée contre un mur, collée contre son corps si viril. Elle en frémissait déjà d'anticipation. Elle sentit ses lèvres caresser les siennes et gémit de plaisir. Juste au moment où elle penchait un peu plus la tête pour mieux savourer son baiser, la porte de la pièce s'ouvrit. Jo Harris s'arrêta net lorsqu'il les vit tous les deux.

— Que se passe-t-il ici ?

Robert s'écarta vivement d'elle, et regarda Jo.

— Rien, nous sommes juste en train… de nous entraîner pour un sketch.

Jo les regarda alternativement tous les deux, remarqua que Swan était ébouriffée, et que son chemisier la couvrait à peine. Il referma la porte derrière lui et s'adressa à Robert d'un air sérieux.

— Ecoute, quoi que tu sois en train de faire avec elle, tu sais pertinemment que tu n'en as pas le droit.

Robert le savait parfaitement. Le ton de Jo le ramena soudain à la réalité. Il regarda Swan. Si son chemisier était tombé par terre, elle se serait retrouvée seins nus, se rendit-il compte. Lorsqu'il baissa les yeux et remarqua la cravache en cuir dans sa main, il fit un pas en arrière, s'écartant un peu plus de Swan.

A quoi diable pensait-il ? Et jusqu'où aurait-il été capable d'aller ?

Il le savait pertinemment. Il tendit la cravache à Jo, prit son blouson sur la chaise, et sortit de la pièce, laissant Swan et Jo le contempler, interloqués. Jamais de sa vie, personne ne lui avait fait perdre le contrôle de lui-même, comme venait de le faire Swan.

Mais ce n'était pas la faute de Swan. C'était lui qui était responsable de la situation. Il devait passer la main à Jo pour s'occuper de leur suspecte pendant quelque temps.

Lui devait absolument s'éclaircir les idées.

8.

Après le défilé, Jo l'avait raccompagnée à leur hôtel, et en chemin, il s'était arrêté dans une épicerie pour y acheter un peu de nourriture et un pack de soda. Une fois arrivés à l'hôtel, il avait également commandé un grand seau de glace. C'est à ce moment-là que Swan avait senti le mal de crâne qui lui broyait les tempes depuis une bonne heure. Elle était heureuse que Gérard se soit porté volontaire pour rester à la boutique afin de superviser le démontage de leur équipement. Elle n'avait aucune idée d'où se trouvait Robert, et n'en avait rien à faire. Cela faisait déjà une bonne heure qu'il était sorti, furieux, de la cabine d'essayage, sans dire où il allait.

Elle se précipita sur le seau de glace, en prit quelques morceaux qu'elle enveloppa dans une serviette de toilette, s'allongea sur son lit, et pressa la glace contre ses tempes sans prendre le temps de se changer. Jo s'était installé sur le canapé de l'autre côté de la pièce, les pieds posés sur la table basse, et pianotait des chiffres sur une calculatrice de poche.

Elle déplaça la serviette remplie de glace sur sa tête, et soudain se mit à gémir.

— Ça va aller ? demanda Jo.

Pour toute réponse, elle se contenta d'un gémissement.

— Vous savez, Swan, ce qui s'est passé dans la cabine d'essayage m'étonne vraiment. D'habitude, Robert ne se permet pas d'être si proche avec quelqu'un. Je ne sais pas si j'ai raison de vous dire cela, mais il a eu une mauvaise expérience, il y a déjà quelques années.

Elle essaya de s'asseoir dans le lit.

— Vraiment ? Que lui est-il arrivé exactement ?

— Oh, c'était une sale affaire, répondit Jo en se replongeant sur sa calculette.

— Que voulez-vous dire par là ?

Il ne releva pas la tête pour lui répondre.

— Cette fois-là, il ne s'agissait pas d'une escroquerie bancaire. Mais Arthur Forrest était impliqué et une femme qu'il avait dupée. Elle s'appelait Paula Warren, et était témoin à charge. Robert était supposé la protéger.

— Que s'est-il passé ? Ils sont tombés amoureux ?

— Je vous en ai déjà bien trop dit. Robert me tuerait s'il le savait.

— Qui va en parler à Robert ? Je cherche juste à le comprendre, Jo. Cela rendrait les choses beaucoup plus faciles. Il est toujours sur ses gardes, et je ne peux pas m'empêcher de penser que c'est à cause de moi. Il y a même des moments où j'ai l'impression qu'il me déteste.

— Il ne vous déteste pas. S'il y a quelqu'un qu'il n'aime pas, c'est lui-même.

— Est-il tombé amoureux de cette femme, ce témoin ?

Il fallait absolument qu'elle sache.

— Ce qui s'est passé, c'est que Paula était une véritable enfant gâtée, une vraie mondaine, habituée à ce que chacun cède à ses caprices. Lorsque Robert l'a rejetée, elle s'est plainte au Bureau, prétendant que c'était lui qui lui avait fait des avances, et qu'il avait abusé de son autorité pour la

126

forcer à coucher avec lui ! Bien sûr, il s'est fait renvoyer, et cela n'a fait qu'empirer les choses.

— Robert s'est fait renvoyer du FBI ? Pourtant il en fait toujours partie aujourd'hui.

— Il a été réintégré, après une enquête qui a prouvé que Paula était vraiment très malade. Elle avait déjà accusé d'autres hommes de l'avoir frappée, même son propre frère. Elle avait tant de problèmes psychologiques que son témoignage à la barre n'a pas pu être pris en compte. Le procès l'a complètement détruite.

— Pourquoi Robert se déteste-t-il à cause de cela ? Ce n'était pas sa faute.

Jo soupira et posa sa calculette. Visiblement il regrettait d'avoir entamé cette conversation et souhaitait en finir au plus vite.

— Paula faisait partie d'un milieu fortuné, et avait les relations qu'Arthur Forrest cherchait. Il a monté une arnaque, qu'il lui a bien sûr présentée comme légale, afin qu'elle en parle à ses riches amis. Nous les avons arrêtés tous les deux et avons proposé un *deal* à Paula, qu'elle a accepté. Robert était chargé de la protéger jusqu'à ce qu'elle puisse témoigner.

— C'est à ce moment-là qu'ils sont tombés amoureux ?

— C'est à ce moment-là *qu'elle* est tombée amoureuse de lui. Elle le voyait comme son protecteur, son chevalier en armure. Elle était vraiment accro, mais je connais suffisamment Robert pour savoir que ses sentiments n'étaient pas réciproques. Il faisait son boulot, et la protégeait, un point c'est tout.

Swan ne comprenait toujours pas pourquoi Robert se détestait autant lui-même, mais elle en avait entendu suffisamment pour comprendre pourquoi il tenait tellement à son éthique professionnelle.

— Et alors… ?

— Ça suffit, à présent. Je vous en ai déjà trop dit.

Soudain, Swan se souvint que Robert lui avait dit que les gens mouraient, s'il ne faisait pas attention.

— Une dernière chose, Jo, s'il vous plaît, ensuite je vous promets de ne plus rien vous demander. Paula est-elle morte pendant qu'elle était sous la protection de Robert ?

Jo hocha la tête à regret.

— Oui, et Robert l'a très mal vécu. Ce n'était pas sa faute, mais il a du mal à l'admettre.

— Comment cela est-il arrivé ?

— C'était vraiment moche, mais je ne vous en dirai pas plus. Robert a vraiment payé le prix fort. Ce scandale l'a jeté dans l'ombre pendant des années. Cela lui a coûté ses promotions, sa réputation, et même sa fiancée. Mais à présent, il est de retour parmi nous. Il est même question qu'il remplace le chef de notre Bureau de Los Angeles. Quoi qu'il en soit, cette affaire l'a complètement transformé.

Jo prit une gorgée de soda ainsi qu'une bouchée de son sandwich.

— Je ne vous ai jamais rien dit, et vous n'avez jamais rien entendu.

Swan lui sourit timidement.

— Bien sûr.

Il se replongea dans ses calculs, et elle essaya de se détendre. Pourtant, elle était bien trop nerveuse et se retourna plusieurs fois sur le lit.

— Ecoutez, dit Jo, si votre mal de tête ne vous quitte pas, je peux sortir vous acheter quelque chose.

Le téléphone se mit à sonner avant qu'elle ait eu le temps de répondre. Jo décrocha, écouta un instant, puis raccrocha.

— Mauvais numéro, dit-il en se levant. Bon, je ne vais pas vous laisser dans cet état, il y a un drugstore juste à côté.

— Merci, dit-elle, vous avez raison, cela me fera du bien. D'autant plus qu'il faut que je sois en forme pour demain.

Ils devaient se rendre à Seattle, et la route était longue. Gérard prendrait un vol jusque là-bas, et commencerait à préparer le défilé, mais il lui resterait quand même un million de choses dont elle devrait s'occuper.

Jo se dirigea vers la porte.

— Fermez la porte derrière moi.

Lorsqu'il fut sorti, elle se dirigea vers la salle de bains, et déposa la glace dans le lavabo, puis jeta un coup d'œil à son reflet dans le miroir. Pourquoi se souciait-elle de son apparence dans un tel moment ?

Robert pouvait surgir à n'importe quel moment, voilà pourquoi. Elle le savait parfaitement. Elle se remémora l'instant d'intimité partagé dans la cabine d'essayage. Il pouvait tout aussi bien entrer ici, la plaquer contre le lavabo, et elle sentirait son souffle chaud sur sa gorge et ses mains sur son corps.

Soudain, le téléphone sonna. Elle sursauta et se dirigea vers l'appareil. Pourvu que ce soit Robert.

Elle fut déçue en entendant une voix féminine à l'autre bout de la ligne.

— Mme Mc Kenna ? Nous ne nous connaissons pas, mais je suis une fan de votre travail. J'étais à votre défilé cet après-midi, et j'aurais bien aimé vous rencontrer, mais vous avez quitté le podium très rapidement, et je n'ai pas été capable de vous retrouver. J'espère que mon appel ne vous dérange pas, j'ai obtenu le nom de votre hôtel par la directrice de La Bomba.

— Bien sûr que non, répondit Swan. A qui ai-je l'honneur ?

— Je m'appelle Stella Diamont, de Sébastiani. J'adore votre collection.

Swan était impressionnée. Stella Diamont était l'une des acheteuses principales pour les boutiques Sébastiani d'Amérique du Nord.

— Vraiment ? Je suis extrêmement flattée, mais...

— Je sais, je sais. Vous avez un contrat d'exclusivité avec La Bomba. C'est exactement ce dont j'aimerais vous parler. Pour être honnête, nous aimerions bien vous faire rompre ce contrat, et travailler pour nous.

— Vraiment ? répéta Swan.

— Oui, absolument. Je me demandais si nous pourrions discuter maintenant. Je sais que je vous prends au dépourvu, mais je suis dans un petit café dans la rue juste à côté de votre hôtel, et j'ai encore quelques instants avant de partir pour l'aéroport. Pourriez-vous faire un saut jusqu'ici ?

Swan n'hésita pas une seule seconde.

— Oui, bien sûr, donnez-moi juste cinq minutes pour me préparer.

— Je vous attends avec impatience. Vous me reconnaîtrez facilement, je suis la seule à porter un blazer en lin blanc.

Swan tremblait en raccrochant le téléphone. Si Lynne avait été ici, elles auraient toutes deux dansé de joie. C'était vraiment incroyable d'avoir attiré l'attention d'une chaîne de magasins comme Sébastiani. C'était encore bien mieux que de travailler avec Gvon Marcello !

Elle avait le numéro du bipeur de Robert, et elle aurait certainement dû l'utiliser, mais elle n'avait aucune idée de l'endroit où il se trouvait, et il était plus que certain qu'il ne l'aurait pas autorisée à sortir seule. Au mieux, il lui aurait demandé de l'attendre afin de pouvoir l'accompagner, mais elle n'avait pas de temps à perdre.

Elle se précipita dans la salle de bains, se maquilla légèrement, enfila ses chaussures, et décida qu'elle ne risquait pas grand-chose à traverser la rue pour quelques instants, afin de pouvoir rencontrer une acheteuse très importante, qui voulait entamer une fructueuse collaboration avec sa société. Après tout, on était au beau milieu du mois d'août, et le soleil était loin de se coucher. Qui tenterait de s'en prendre à elle au beau milieu de journée ?

Swan jeta un coup d'œil par-dessus son épaule, afin de vérifier si Robert ou Jo n'étaient pas à sa poursuite. Tout allait bien, et elle sortit de l'hôtel. Le café était juste de l'autre côté de la rue, elle y serait en quelques minutes.

Elle avait passé son sac à main en bandoulière sur son épaule, et y avait enfermé l'agenda. Robert lui avait dit qu'elle devait le garder avec elle en toutes circonstances. Sérieusement, tout ceci commençait à lui paraître un peu ridicule. Le complice d'Arthur, si jamais il en avait eu un, devait à présent savoir que le banquier avait été arrêté. Seul un fou essaierait de voler l'agenda, sans même être certain que le chèque se trouvait toujours l'intérieur. Swan avait vraiment l'impression que Robert cherchait une aiguille dans une botte de foin.

Le soleil la réchauffa. C'était si bon d'être un peu libre. Aller seule à la rencontre de cet acheteur brisait les règles qu'ils avaient établies, mais elle avait des obligations envers sa société, et elles étaient bien plus importantes que celles qu'elle avait envers lui. Une fois que l'opération serait terminée, Robert s'en irait comme si rien ne s'était jamais passé, et la laisserait seule avec Lynne à essayer de reconstruire leur compagnie.

Impatiente, elle attendit au coin de la rue que les feux de la circulation passent au rouge, afin de pouvoir traverser. La circulation était intense. Le feu passa au rouge, et elle se précipita de l'autre côté de la rue. Inspirant profondément, elle comprit soudain pourquoi elle était aussi excitée par cette rencontre. C'était après son défilé que Stella avait décidé de la contacter, ce qui signifiait qu'elle était aussi capable que Lynne d'attirer l'attention des acheteurs sur son travail.

Un jeune couple avec deux enfants se dirigea vers elle. Surgissant du coin de la rue, juste derrière eux, une voiture noire aux vitres teintées s'arrêta, et laissa passer la petite famille. Le conducteur la laissa également passer, puis accéléra jusqu'au bas de la rue, dans la même direction qu'elle.

Swan regarda sa montre. Cela faisait à peine dix minutes qu'elle avait quitté sa chambre. Elle pressa le pas. Au loin, elle vit la voiture noire disparaître dans une ruelle, juste à côté du café. Elle commença à courir dans cette direction. Peu lui importait de transpirer, elle ne voulait pas rater son rendez-vous avec Stella. Elle dépassa quelques voitures, et heurta un homme qu'elle n'avait pas vu venir en face d'elle.

— Désolée ! cria-t-elle, en essayant de continuer son chemin.

Pourtant, quelque chose l'en empêchait. Il lui fallut un petit moment avant de comprendre que l'homme avait saisi la bandoulière de son sac et la retenait prisonnière.

— Donnez-moi votre sac, tout de suite, grogna l'homme.

Swan comprit tout de suite qu'il ne s'agissait pas d'un accident. Par réflexe, elle attrapa la lanière de son sac, et l'attira vers elle. Mais l'homme était une brute, et elle n'avait aucune chance. Il la menaça de nouveau. Elle se débattit comme elle le pouvait, tandis qu'il la traînait vers le parking. Elle sut aussitôt qu'une fois qu'ils seraient hors de vue, il se mettrait certainement à lui cogner dessus pour lui arracher son sac. Personne ne pourrait la sauver. Les gens autour d'eux ne semblaient pas comprendre ce qui se passait. Si elle se ruait sur lui, elle parviendrait peut-être à lui faire perdre l'équilibre, et à se libérer. C'était la seule chance qu'elle avait.

— FBI ! On ne bouge plus !

L'avertissement avait surgi derrière Swan. Elle ne voyait pas l'homme, mais la voix semblait bien être celle de Robert. Son agresseur lui attrapa le bras, essayant de l'entraîner avec lui, coûte que coûte. Elle continua à se débattre, et ils tombèrent tous deux sur la chaussée. Elle roula loin de lui, mais sentit aussitôt la lanière de son sac à main qui se resserrait autour de son cou. Mon Dieu, elle allait finir étranglée !

Elle se retourna sur le dos et vit aussitôt le visage de Robert. Ce qui se passa ensuite fut un peu confus, mais la pression sur sa gorge se relâcha. Malheureusement, son agresseur réussit à s'enfuir. Robert semblait partagé entre l'envie de le poursuivre et celle de rester à ses côtés. Ce qu'il fit.

— Comment ça va ? demanda-t-il en tâtant ses jambes puis ses bras.

Apparemment, elle n'avait rien de cassé. Il l'aida à se remettre sur pied, et elle se blottit contre lui.

— Je vais bien, répondit-elle, juste un peu secouée.

— Où est Jo ?

Ça, c'était la question qu'elle redoutait.

— Je ne sais pas, il a dû rentrer à l'hôtel.

— Comment ça ? Il vous a laissé venir ici toute seule ?

— Il ne sait pas que je suis sortie.

— Qu'est-ce que tout cela signifie ?

Il l'avait relâchée, et sa voix venait de prendre une froideur qu'elle n'aimait pas du tout. Jamais il ne comprendrait son point de vue, mais elle fit de son mieux pour lui expliquer. Elle lui raconta l'appel de Stella, son offre, et l'urgence qu'elle avait à la rencontrer.

— Si j'avais attendu Jo, j'aurais raté mon rendez-vous, c'est pour ça que je suis sortie seule.

La colère qu'elle lut dans les yeux de Robert lui fit songer que son agresseur aurait peut-être été moins dur avec elle. Robert resta un instant silencieux, puis la prit par le bras.

— Etes-vous suffisamment en forme pour marcher ? demanda-t-il.

— Oui, je crois. Où allons-nous ?

— Rencontrer votre acheteuse.

Elle n'était pas certaine de ce qu'il avait en tête, mais si Stella Diamont se trouvait dans le café, elle pourrait dire adieu à la proposition que la jeune femme comptait lui faire, et peut-être même à sa propre carrière. Robert allait certainement questionner Stella, et peut-être même porter contre elle de graves accusations, et même si elle mourait d'envie de le prier de n'en rien faire, elle n'osa pas.

— Connaissez-vous cette femme ? demanda-t-il.

— Stella Diamont ? J'ai entendu parler d'elle. Tout le monde la connaît dans notre milieu, elle travaille pour Sébastiani.

— A quoi ressemble-t-elle ?

— Elle a dit qu'elle portait un blazer en lin blanc.

Il ouvrit la porte du restaurant, et la poussa à l'intérieur.

— J'étais assis ici, en train de prendre un café, lorsque la serveuse a crié que quelqu'un était en train de se faire agresser dehors. C'est de cette façon que j'ai pu intervenir aussi rapidement. Je n'ai vu personne à l'intérieur de ce café qui puisse être une acheteuse de mode, mais peut-être que vous, vous la remarquerez.

L'endroit n'était pas très grand. Ils l'arpentèrent dans les deux sens, mais Swan ne remarqua aucune femme dans la tenue que Stella lui avait décrite.

— Peut-être ai-je été dupée, dit-elle lorsqu'ils se retrouvèrent à l'extérieur.

Elle se sentait stupide, et le fait que Robert ne dise rien, ajoutait encore à son embarras.

Ils retournèrent à l'hôtel en silence. Swan était tout à fait consciente que Robert examinait soigneusement les alentours, et elle ne voulait pas le distraire par des questions. Ce n'est qu'une fois qu'ils approchèrent de l'hôtel, qu'elle prit soudain conscience de ce qui avait véritablement failli se passer. Elle se mit à trembler, et se sentit proche de la nausée.

— Vous pensez que la femme qui m'a téléphoné était complice ?

— C'est tout à fait possible, sinon pourquoi ne se serait-elle pas trouvée dans le café, comme prévu ?

— Peut-être a-t-elle redouté l'arrivée de la police. Elle ne souhaitait certainement pas avoir son nom dans le journal.

Elle essayait toujours de trouver une raison à ce qui venait de se passer. Elle refusait de croire qu'elle était vraiment en danger.

— Peut-être que mon agresseur ne cherchait pas spéciale-ment le chèque, après tout. Avez-vous pensé à cela ? Peut-être n'était-ce qu'un voleur ordinaire.

Robert avait remarqué qu'elle tremblait, et essaya de lui dire les choses aussi délicatement que possible.

— Ce n'était pas un simple voleur, je l'ai déjà vu aupa-ravant.

— Où cela ?

— A votre dernier défilé. Il se trouvait dans la foule.

Il la regarda et hésita à continuer.

— Etes-vous sûre que tout va bien ? Vous avez l'air pâle.

— Pourquoi ne m'avez-vous pas dit que vous aviez des soupçons, lors de ce défilé ? Je crois que j'ai le droit de savoir, non ?

— Il n'y avait rien de spécial à dire. J'ai essayé de m'ap-procher de lui, mais je l'ai perdu dans la foule.

— Mon Dieu, murmura-t-elle. Il aurait pu me tuer.

— A présent, vous commencez à comprendre à quel point la situation est grave. A partir de maintenant, vous serez sous ma surveillance en permanence. Je ne peux pas vous faire confiance, et bien que cela me déplaise de le dire, je ne peux pas faire confiance à Jo non plus.

— Ne soyez pas fâché contre lui. C'est moi qui l'ai envoyé dehors me chercher des médicaments. Tout cela est ma faute, Robert, ne lui en veuillez pas, il essayait simplement d'être gentil avec moi.

Robert s'arrêta brusquement.

— Vous auriez fait la même chose, dit-elle. Vous le savez très bien. La seule chose dont Jo est coupable, c'est de m'avoir fait confiance.

— Parfait, dit-il, je ne vais pas lui en tenir rigueur, mais à partir de maintenant, vous êtes sous ma protection. Vous comprenez ?

— Très bien… D'accord. Et merci de ne pas en tenir rigueur à Jo !

— Si j'étais vous, j'attendrais avant de me remercier.

Jo se trouvait dans sa chambre lorsqu'ils rentrèrent à l'hôtel. Gérard se trouvait avec lui et Swan se rendait compte qu'il était malade de peur, ce qui lui fit encore plus regretter sa bêtise. Elle s'excusa auprès d'eux et fut aussitôt pardonnée par Gérard, qui l'embrassa.

Jo lui tendit les médicaments qu'il était sorti chercher.

— On dirait que vous en avez bien besoin, dit-il.

Chacun se rendait compte que la personne qui voulait obtenir l'agenda était prête à user de violence envers Swan. Mais ni Robert ni Jo n'y firent mention. Swan avait l'impression qu'ils ne voulaient pas les effrayer, Gérard et elle, plus qu'ils ne l'étaient déjà.

Robert commanda des pizzas et des boissons pour tout le monde, mais tout ce dont elle avait envie était de prendre une bonne douche, et de s'allonger sur le lit avec une nouvelle poche de glace. Son mal de tête était de retour.

Une fois qu'ils eurent fini de manger, Gérard et Jo se retirèrent dans leur chambre. Robert ne semblait pas avoir envie de dormir.

Swan se demandait, elle, si elle serait capable de retrouver le sommeil un jour.

Robert se trouvait à côté de la fenêtre, regardant à l'extérieur, au travers des rideaux.

— Je ne vous ai pas remercié de ce que vous avez fait pour moi aujourd'hui, dit Swan. Vous m'avez sauvé la vie...

— Cela fait partie de mon travail, dit-il en continuant à regarder dehors.

— Vous faites cela souvent ? Je veux dire...

— Je viens de le dire. C'est mon boulot. Bon, je vais aller prendre une douche.

Il se dirigea vers la porte de communication entre les deux chambres. Swan se redressa sur le lit.

— Où allez-vous ?

— Réveiller Jo. Pour qu'il vous garde pendant que je prends ma douche.

— Laissez-le dormir, il est fatigué, et je ne risque pas d'aller où que ce soit dans cette tenue.

— Comme si vous n'étiez pas capable de vous habiller et de partir d'ici pendant que je suis sous la douche. Pas question ! Je vais réveiller Jo.

— Non, attendez ! Je vais aller avec vous, dans la salle de bains. Quel mal y a-t-il à ce que je reste à vos côtés pendant que vous prenez votre douche ?

— Et pour le cas où vous vous décideriez à vous enfuir pendant que je suis sous l'eau, que suis-je supposé faire ? Vous courir après, nu et tout mouillé ?

Elle sourit, imaginant la scène.

— Peut-être devrais-je venir sous la douche avec vous, suggéra-t-elle innocemment, ainsi nous serions tous les deux nus et mouillés.

— Charmante idée !

Sur la table, elle remarqua son insigne, sa pochette et ses menottes, là où il les avait laissés. Elle se précipita, prit les menottes et les lui tendit.

— Pourquoi ne pas les utiliser ?

Robert la regarda.

— Après tout, pourquoi pas ?

Quelques instants plus tard, elle était assise sur les toilettes, et menottée au porte-serviettes. Robert, lui, s'était enfermé dans la cabine de douche, et jetait ses vêtements à travers la porte.

— Je ne peux pas croire que je sois en train de faire cela. Je vous interdis de me regarder, compris ? dit-il en ouvrant les robinets.

A travers les parois de la cabine, elle devinait chacun de ses mouvements, d'autant plus que sa peau brune contrastait sur les carreaux de faïence blanche de la douche. Elle en voyait juste assez… pour lui donner envie d'en voir plus.

— Bien sûr, répondit-elle.

Un nuage de condensation emplit la pièce, embuant les miroirs. Elle examina les menottes et remarqua qu'elles étaient soigneusement fermées à clé. Elle ne pourrait aller nulle part, tant qu'il n'aurait pas décidé de la relâcher. Apparemment, Robert aimait bien exercer son autorité. Elle se souvint de la façon dont il l'avait bloquée dans la cabine d'essayage, et frémit à ce souvenir. Visiblement, il avait apprécié de la

138

taquiner avec la cravache, mais ce dont elle se rappelait le plus était la lueur de désir qu'elle avait remarquée dans ses yeux bleus, alors qu'il était tout près d'elle. Il avait eu l'air tout prêt de franchir certaines limites.

Le bruit de l'eau la tira de sa rêverie. A présent, Robert se lavait les cheveux. Il se tourna pour se rincer, et elle distingua la forme de ses cuisses, ainsi que l'ombre de son sexe. Elle dut se forcer à respirer calmement. Ce qu'elle éprouvait en cet instant, était quelque chose qu'elle n'avait pas ressenti depuis bien longtemps.

Un pur désir physique.

Elle l'entendit fermer l'eau, et toussota, afin de lui rappeler sa présence. Soudain, elle remarqua une serviette en éponge, suspendue juste à côté de la porte de la douche. Cela lui donna une idée, et aussitôt, elle suivit son impulsion. Avant que Robert n'ouvre la porte de la douche, elle attrapa la serviette de sa main libre et la jeta de l'autre côté de la pièce, hors de sa portée.

Pourquoi avait-elle fait cela, elle n'en savait rien. Ou peut-être bien que si. Mais avait-elle réellement besoin de voir Robert complètement nu ? Elle l'avait déjà vu en petite tenue à plusieurs reprises, lorsqu'elle avait pris ses mesures pour le défilé, et était même allée jusqu'à tapoter ses fesses nues avec la cravache. Alors, avait-elle *vraiment besoin* de le voir entièrement nu ?

Oh, oui !

Elle se retint de rire lorsqu'il ouvrit la porte et chercha des mains la serviette.

— Qu'est-il arrivé à ma serviette ?

Swan ne répondit rien.

— Passez m'en une, voulez-vous ?

— Impossible. Je suis attachée, rappelez-vous.

Et voilà ! A moins qu'il n'ait envie de dormir dans la douche, il allait bien être obligé de sortir de là. Nu.

Nu et mouillé. Elle avait hâte de le voir.

La porte de la douche s'ouvrit, et elle vit tout d'abord émerger une jambe dégoulinant d'eau. Elle était impatiente de voir le reste, mais Robert avait une petite surprise pour elle. Il fit un pas hors de la douche et secoua la tête comme un jeune chien.

Les gouttelettes d'eau volèrent dans sa direction, et, par réflexe, elle détourna la tête, ce qui était certainement l'intention de Robert. C'était malin de sa part, mais elle s'empara d'un morceau de papier toilette, s'essuya le visage, et lui jeta un regard en douce. Bon sang ! Il était superbe, et visiblement pas du tout embarrassé par sa nudité. Il lui jeta même un regard de défi.

— Je sais pertinemment qu'il y avait une serviette de toilette ici, il y a quelques minutes, dit-il. Je suis peut-être fatigué, mais pas à ce point.

Swan le regarda innocemment, faisant tinter les menottes autour de son poignet.

— Ne me regardez pas ainsi. Vous voyez bien que je ne peux rien faire.

— Rien faire ? Mon œil !

Il passa devant elle pour aller ramasser la serviette, et elle en profita pour l'examiner de la tête aux pieds. Cela ne dura qu'un instant, mais elle savoura la vision qui s'offrait à elle. Elle brûlait d'envie de le toucher. Quel effet cela lui ferait-il de caresser sa peau qui semblait si douce ? De sentir ses muscles rouler sous ses doigts ?

Une fois qu'il eut enroulé la serviette autour de sa taille, il s'approcha d'elle, prit dans son pantalon la clé pour déverrouiller les menottes et la libéra.

— Et maintenant ? demanda-t-elle en se massant les poignets.

— C'est l'heure d'aller se coucher. Je suis fatigué, et j'imagine que vous aussi.

— L'heure d'aller se coucher ? Ensemble ?

— A vous de voir, répondit-il, en sortant de la pièce. Vous pouvez aussi dormir enfermée à clé dans les toilettes, cela m'ira très bien.

9.

Etre menottée à un garde du corps plutôt sexy, sur le lit
d'une chambre d'hôtel, aurait pu être la réalisation d'un
fantasme, sauf que, dans le cas présent, il s'agissait de dormir.
Pourtant, Swan savait que la nuit risquait d'être longue, et
qu'elle aurait du mal à trouver le sommeil.

— Est-ce vraiment nécessaire ? demanda-t-elle à Robert
tandis qu'il attachait son poignet droit au sien.

— Pas vraiment. Je pourrais vous attacher au lit et m'allonger sur le canapé, mais de cette façon, je suis certain que
vous n'irez nulle part, et je dormirai bien mieux.

Swan était épuisée, elle aussi, mais le fait d'être ainsi
enchaînée à Robert présentait quelques inconvénients. Ils se
trouvaient tous deux au pied du lit, et puisque son poignet
gauche était enchaîné à celui, droit, de Robert, il n'y avait
pas d'autre solution pour eux que de dormir à plat ventre, ce
dont elle avait toujours été incapable. La seule autre option
était de se retourner, et de dormir sur le dos.

— Je ne peux pas dormir sur le dos, dit-elle. Il faut que
je me couche sur le côté, et de préférence sur le côté gauche.
Je dors toujours comme cela.

— Comme vous voudrez, dit-il. Peu m'importe la façon dont
vous dormez, du moment que vous respectez les règles. Je veux
en permanence vingt centimètres d'espace entre nous.

— Comme si je risquais de vous attaquer !

— Vous l'avez déjà fait plusieurs fois.

— Et il me semble que vous ayez apprécié !

Il rougit, ce qu'elle trouva délicieux.

— Allons-y, dit-il en grimpant sur le lit et en l'entraînant avec lui.

Après diverses tentatives, elle perdit son équilibre et se retrouva le nez contre sa poitrine. Il sentait diablement bon. Elle adorait son odeur.

— Bon, recommençons, dit-il.

Pourtant, il resta sans bouger, et ne fit rien d'autre que la regarder droit dans les yeux. Elle baissa le regard jusqu'à ses lèvres, en sentant presque la saveur sur les siennes. Puis, relevant les yeux vers lui, elle se rendit compte que son regard devenait de plus en plus sombre, et elle sut qu'il ressentait les mêmes sensations qu'elle. Pourtant, elle savait parfaitement qu'il ne laisserait pas quoi que ce soit se passer entre eux.

Tout ce qu'elle pouvait faire, c'était se laisser aller à son imagination. Comment étaient ces baisers ? Doux, tendres ? Ou carrément sauvages ?

— Avez-vous déjà pensé à m'embrasser ? demanda-t-elle.

— J'y pense sans cesse, reconnut-il en la faisant passer par-dessus lui.

Une fois qu'ils se furent installés comme il le souhaitait, elle se blottit sur son côté gauche en soupirant. Robert était allongé sur le dos et leurs poignets enchaînés reposaient entre eux.

— Bonne nuit, dit-il en se penchant pour éteindre la lumière.

Puisqu'elle en avait l'occasion, elle lui jeta un dernier regard en douce. Il était impossible de ne pas se rappeler ce qu'elle avait vu lorsqu'il était sorti de la douche, d'autant plus que le fin pantalon de coton qu'il portait en cet instant ne cachait pas grand-chose de son anatomie.

Heureusement elle était épuisée. A peine eut-elle fermé les yeux, qu'elle s'endormit.

Les agents du FBI en service dorment rarement d'un sommeil profond, et Robert ne faisait pas exception à la règle. Il ne dormait que d'un œil, mais il était si fatigué qu'il pensa être en train de rêver lorsqu'il entendit une voix murmurer quelque chose à propos de mesures et d'épingles.

C'était un de ces rêves dont on n'a jamais envie de se réveiller. Une douce voix féminine murmurait à son oreille, et même s'il ne pouvait pas la voir, il savait que c'était un ange qui venait lui rendre visite, parce qu'elle était très tendre avec lui.

Ses doigts étaient comme des ailes de papillon, qui le caressaient sur tout le corps. Certes, ce n'était pas un ange timide, parce qu'il semblait qu'il n'y avait qu'une seule partie de son anatomie qui l'intéressait. Une partie vraiment très sensible. Mon Dieu, il pourrait la laisser le caresser ainsi des jours entiers.

— Vilain garçon, disait-elle. Comment puis-je prendre tes mesures si tu n'arrêtes pas de bouger comme un...

Sa voix douce s'évanouit, mais il commença à éprouver un sentiment très familier à propos de ce rêve. Il sentit son bas-ventre le tirailler, et sourit. A présent, les caresses de sa visiteuse devenaient plus précises. Pourquoi cet ange n'avait-il jamais pénétré ses rêves auparavant ?

A présent, elle lui chuchotait des mots coquins à l'oreille, et il pouvait sentir sa poitrine contre son torse. Ses doigts étaient comme des gants de soie sur sa peau.

A moins que tout ceci ne soit pas un rêve.

144

Lentement, Robert ouvrit les yeux, essayant de se réveiller. La chambre était plongée dans l'obscurité.

A un moment ou un autre, durant la nuit, il s'était tourné vers Swan, et elle se trouvait maintenant face à lui, son visage à quelques centimètres de son cou. Sa main gauche, celle qui était menottée, reposait sur son poignet droit, sur le lit. Exactement là où elle aurait dû être. Par contre, sa main droite se trouvait à un endroit où elle n'était absolument pas supposée être. Elle se trouvait sur son pantalon de pyjama, à un endroit très intime.

C'était ça qui l'avait réveillé. Elle l'avait libéré de son pyjama, ou bien il s'était libéré lui-même avec son aide, et il avait une superbe érection, qu'elle tenait serrée entre ses doigts.

Elle avait l'air de dormir, et il n'était pas sûr de devoir la réveiller. Bon sang ! Il fallait absolument qu'il écarte sa main et qu'elle cesse ce qu'elle était en train de faire.

C'était si bon, et si terrible à la fois. C'était le paradis et c'était l'enfer. C'était le fantasme de tous les hommes : avoir une femme magnifique qui vous réveille par de douces caresses sexuelles. Impossible de savoir combien de temps il pourrait encore se contrôler avec les doigts de Swan enserrant son sexe dressé.

S'il la réveillait maintenant, cela ne ferait que compliquer les choses.

Aussi délicatement que possible, il saisit son poignet. Lorsqu'il essaya de le tirer, elle secoua la tête et murmura quelque chose, puis resserra sa prise. Elle se rapprocha même de lui. Robert avait l'impression d'essayer d'arracher un jouet des mains d'un enfant endormi.

— Reste calme, murmura-t-elle dans son sommeil. Il faut que je m'occupe de ça.

Bon, les choses se compliquaient. Utilisant ses deux mains, il réussit à ouvrir ses doigts un par un, mais lorsqu'il voulut s'écarter d'elle, il se souvint que la clé des menottes se trouvait sur le bureau, avec son arme et son insigne. Jamais il n'aurait cru que ce serait lui qui voudrait à ce point se libérer des menottes.

Lorsqu'elle sentit qu'on lui retirait son jouet, Swan soupira.

— Oh, je t'ai piqué ? murmura-t-elle dans un souffle.

Soudain, les pièces se mirent en place dans l'esprit de Robert. Des mesures ? Des épingles ? Peut-être n'était-il pas le seul à rêver dans son sommeil. Peut-être que cette styliste en sous-vêtements masculins faisait, elle aussi, de curieux rêves.

Swan était en train de rêver. En son et lumière. Elle se retrouvait dans la cabine d'essayage, comme ce fameux matin où elle avait pris les mesures de Robert pour les vêtements de sa collection. C'était un véritable challenge de travailler avec un homme dont la virilité répondait autant à chaque mouvement de la main d'une femme. Heureusement, ce n'était pas le cas de la plupart des mannequins. Mais elle devait bien reconnaître que celui-ci l'inspirait fortement. Il lui donnait même des idées de nouvelles créations.

Il allait falloir qu'elle y travaille.

Un nuage de buée suivit Swan lorsqu'elle sortit de la salle de bains, se séchant les cheveux avec une serviette. Elle était drapée dans un des peignoirs de l'hôtel, et espérait que cette longue douche chaude allait lui remettre les idées en place, et lui permettre de se concentrer sur son travail.

Habituellement, elle ne se souvenait jamais de ses rêves, mais celui de la nuit dernière était une exception. Il persistait dans son esprit, et ce, jusque dans ses moindres détails. Chaque caresse, chaque gémissement lui revenait en tête. Dieu merci, ce n'était qu'un rêve.

— Vous avez faim ?

Robert leur avait commandé un petit déjeuner. Ce matin, ils étaient seuls tous les deux. Jo s'était rendu à leur bureau local, et Gérard avait pris un vol tôt ce matin jusqu'à Seattle, pour préparer leur prochain défilé.

— Je meurs de faim, répondit-elle.

— Je m'en doutais, dit-il avec un petit sourire malicieux.

Occupée à choisir une tenue confortable dans sa valise, elle se retourna et lui jeta un regard suspicieux, tandis qu'il regardait délibérément ailleurs. Que voulait-il dire ? Devenait-elle paranoïaque ?

Elle finit de s'habiller et se dirigea vers la table du petit déjeuner.

— Vous avez bien dormi ? demanda-t-il.

— Absolument, merci. Et vous ?

— Moi aussi, même si je me suis réveillé en pleine nuit. Vous parlez quand vous rêvez, Swan.

— C'est faux !

— Oh que non ! Vous parlez, et vous faites de drôles de choses... Qui me mettent en pleine forme, si vous voyez ce que je veux dire.

— Vous êtes dingue !

— Ah bon ? Alors pourquoi ne me suis-je réveillé avec votre main en train de fouiller dans mon pyjama, et une belle érection à la clé ?

Elle se leva d'un bond.

— Vous racontez n'importe quoi ! Vous avez dû rêver !

— Oh que non !

Elle quitta la table, et se précipita dans la salle de bains pour ramasser ses dernières affaires. Elle entendit Robert glousser derrière la porte. Bon sang, elle avait envie de le gifler !

Swan était en train de terminer sa valise, lorsqu'on frappa à la porte de leur chambre. Aussitôt, elle s'alarma.

— Qui est-ce ?

— C'est moi, Jo.

Robert laissa entrer son partenaire. Il referma rapidement la porte derrière lui, et les deux hommes échangèrent un regard.

— Mauvaises nouvelles, dit Jo en jetant un exemplaire du journal du matin sur la table, et en se servant une tasse de café.

— Est-ce que je dois deviner, ou vas-tu me dire ce qui se passe ? demanda Robert.

Jo jeta un coup d'œil à Swan, et elle sut aussitôt que ces mauvaises nouvelles la concernaient.

— J'ai appelé Erskine, comme tu me l'as demandé, dit Jo. Il veut que nous ramenions Swan. Pour lui, il est temps d'arrêter les frais.

— Qui est Erskine ? demanda Swan.

— C'est l'agent spécial, en charge du dossier. En d'autres termes, notre patron, répondit Jo.

— Qu'en est-il d'Arthur Forrest ? Il n'a toujours rien dit ? demanda Robert.

— Rien, dit Jo en remuant son café. Pas un mot. Erskine est convaincu que son complice a disparu et qu'il ou elle ne veut prendre aucun risque en essayant de récupérer l'argent.

— Tu lui as dit que Swan s'était fait agresser hier ?

Jo hocha la tête.

— Il pense qu'il ne s'agit que d'une coïncidence, une simple agression de rue.

Swan était abasourdie. Les deux hommes étaient en train de discuter d'Arthur, de son escroquerie, mais qu'en était-il de sa société ? S'ils la forçaient à retourner à Los Angeles, cela signifiait que le dernier défilé, le clou de la tournée, devrait être annulé.

— Ne pouvons-nous pas avoir encore un jour ou deux ? demanda-t-elle. Qu'est-ce que cela peut bien faire ? Il faut que je sois à Seattle pour ce dernier défilé, Robert. Vous savez combien c'est important. Vous le savez tous les deux.

Il n'avait pas encore dit un mot, mais son expression était claire. Apparemment, il n'allait pas enfreindre les règles pour elle, et elle allait certainement se retrouver dans un avion pour rentrer chez elle, dès cet après-midi.

Désespérée, elle regarda Jo, qui ajoutait un nouveau morceau de sucre à son café.

— Est-ce qu'aucun de vous n'a jamais eu de rêves ? demanda-t-elle. Quelque chose dont vous aviez tellement envie, que vous étiez prêts à abattre des montagnes pour cela ?

Jo hocha la tête.

— Ne m'en parlez pas ! Cela fait des années que je rêve de m'acheter un petit bar sur une île tropicale. C'est sur l'une d'entre elles que je partirai, lorsque je serai en retraite.

Elle se retourna vers Robert, pleine d'espoir, mais apparemment il n'avait jamais eu un tel rêve. Bras croisés, il regardait par terre.

Elle ne savait plus que faire. Elle les avait déjà priés et suppliés de ne pas interrompre sa tournée. Se mettre à hurler ou devenir hystérique, n'aiderait certainement pas à convaincre ni Robert, ni Jo, et encore moins leur bureau.

Le silence emplit la pièce, tandis qu'elle continuait à les regarder l'un et l'autre. Puis, Jo se mit à parler, mais seulement pour indiquer qu'il se retirait.

— Il faut que je fasse mes bagages, dit-il en quittant la pièce pour se diriger vers l'autre chambre.

— Attends un instant, Jo. Nous n'allons pas la ramener. Pas maintenant. Je vais cacher Swan dans un endroit où elle sera en toute sécurité, rentrer à Los Angeles, et parler à Erskine moi-même.

Bon sang ! Elle avait dû mal entendre. C'était impossible...

— Qu'est-ce que tu veux dire par là ? Où veux-tu la cacher ?

Visiblement Jo n'appréciait pas l'idée de Robert.

— Ne me le demande pas. Tu n'es pas impliqué là-dedans, d'accord ? J'aurai peut-être des problèmes avec Erskine, et il vaut mieux pour toi que tu ne saches pas où se trouve Swan. Je vais aller le voir et le persuader de nous donner quelques jours de plus. C'est tout ce dont nous avons besoin.

Il jeta un coup d'œil à Swan.

— Il y a bien trop de choses en jeu, pour qu'Erskine fiche tout en l'air, à cause de son impatience.

C'était à Jo qu'il s'adressait, mais elle savait que ce message était également pour elle. Trop de choses en jeu ? Faisait-il référence à elle, et à l'éventuelle perte de sa société, ou bien n'était-il intéressé que par la capture d'Arthur ? S'ils avaient été seuls tous les deux, elle le lui aurait aussitôt demandé, mais pour l'instant, elle était surtout soulagée. Il cherchait à gagner du temps. Peu importait pour quelle raison.

— Vous croyez qu'il vous écoutera ? Quelles sont les chances qu'il nous accorde un peu plus de temps ?

— Pour l'instant, tout ce que je peux faire, c'est de lui poser la question. S'il n'accepte pas... nous trouverons un autre moyen.

— Lequel ?

— Une chose après l'autre, d'accord ? répliqua-t-il en soupirant. Terminez rapidement vos bagages. Il est fort probable que le bureau local envoie deux agents très rapidement. Il faut que nous soyons partis d'ici avant que cela n'arrive. Je reviens tout de suite, dit-il en attrapant sa veste dans le placard. Je descends passer un coup de fil dans le hall.

Inutile de le lui dire deux fois ! Swan se précipita pour boucler son dernier sac.

10

Robert avait oublié combien était sombre la forêt de séquoias qui conduisait à la cabane de Jack Mathias. Swan et lui se trouvaient sur une petite route sans aucune lumière. Les arbres s'élevaient si haut, qu'ils formaient comme une voûte au-dessus d'eux, magnifique mais inquiétante.

— Sommes-nous perdus ? demanda Swan.

Depuis quelques kilomètres déjà, elle ne disait mot, regardant par la vitre de la voiture.

— Non, tout va bien, répondit Robert. Nous sommes presque arrivés.

Ils avaient changé de véhicule, afin d'éviter les poursuites, et c'était Jo qui s'occupait de dissimuler l'autre voiture. A plusieurs reprises, Robert avait vérifié que personne ne les suivait, ce qui était assez facile à vérifier, vu que la cabane se trouvait dans un endroit retiré.

C'était Jack que Robert avait appelé depuis le hall de l'hôtel. Il avait été l'un de ses premiers instructeurs, son mentor au Bureau, et les deux hommes étaient devenus amis, malgré leur différence d'âge. Depuis qu'il avait pris sa retraite, Jack était devenu obsédé par sa sécurité, et au fur et à mesure des années, il avait installé les toutes dernières technologies dans son chalet. Ceci incluait une alarme, qui si elle était

152

déclenchée, alerterait aussitôt un autre copain en retraite, un ancien shérif, qui ne vivait pas très loin d'ici.

Robert avait su aussitôt que Swan serait en sécurité ici, pourtant, elle avait l'air plutôt soucieuse et il pouvait difficilement l'en blâmer. Le chalet avait l'air perdu au milieu de nulle part, et plus d'une personne se serait sentie anxieuse à l'idée de devoir séjourner ici. Quelques instants plus tard, il prit un virage, et la forêt s'éclaircit soudain, révélant une superbe vue sur la côte. Sur la droite, de magnifiques séquoias semblaient s'élever jusqu'au ciel, et sur leur gauche, l'océan Pacifique s'étendait sur un fond rocailleux, ses vagues éclatant en une brume blanche contre les rochers.

Swan se redressa pour admirer le paysage.

— C'est splendide, dit-elle, je n'ai jamais séjourné dans un chalet. Est-ce que votre ami sera là ?

— Non, il vient rarement ici, depuis que sa femme, Grâce, est morte. Ce chalet était supposé être leur refuge pour leur retraite, mais depuis qu'elle est décédée, il passe plus de temps en Californie du Sud, avec ses petits-enfants. Il ne vient pas ici très souvent. Je crois qu'il y a trop de souvenirs.

Il prit un autre virage.

— Je pense que vous allez aimer cet endroit, dit-il. J'ai aidé Jack à construire la cabane, c'est lui qui en avait fait les plans.

Swan décida aussitôt que le terme de cabane était inapproprié. La maison était certes construite en rondins, mais la comparaison s'arrêtait là. Elle remarqua trois larges vérandas, dont l'une surplombait l'océan, offrant une vue spectaculaire. De larges baies vitrées ornaient la façade, et une allée fleurie conduisait à la porte d'entrée.

— C'est magnifique, dit-elle.

Toutes les portes et les fenêtres comportaient des serrures à code numérique, que Jack avait transmis à Robert lors de leur conversation téléphonique. Le panneau de contrôle général se trouvait sur le mur juste à côté de la porte d'entrée. Robert l'ouvrit et tapa une combinaison de chiffres. Ensuite seulement, il put utiliser la clé de la porte.

— Cet endroit est pire que Fort Knox, dit-il à Swan. Une fois que je vous aurai installée ici, vous vous sentirez plus en sécurité que dans votre propre maison.

— Ça, ça m'étonnerait, rétorqua-t-elle avec un haussement d'épaules. Parce que je n'ai jamais eu ma propre maison.

Il la laissa à l'intérieur, et retourna à la voiture pour prendre leurs bagages, qu'il apporta dans le salon. Il ne serait pas absent longtemps, mais il voulait qu'elle sache qu'il reviendrait. Une fois qu'il aurait eu son entretien avec Erskine, il prendrait le premier avion pour venir ici.

Avant de partir, il lui fit découvrir les lieux. La décoration était austère, masculine.

— Il y a une chambre d'invités à droite dans l'entrée, dit-il. Je dépose votre sac là-bas.

Lorsqu'il revint, il lui expliqua le système de sécurité. Tout l'extérieur était protégé par des détecteurs de mouvement, mais elle pourrait déclencher l'alarme elle-même, grâce à une télécommande qu'elle devrait garder en permanence avec elle. Toutes les fenêtres et les portes étaient de verre armé, et il y avait même une pièce de secours en sous-sol à laquelle on pouvait avoir accès grâce à un bouton spécifique situé sur la télécommande.

Jack avait également plusieurs armes dans une caisse, mais Robert les laissa sous clé. Swan n'avait aucun entraînement particulier, et elle pourrait risquer de se blesser. En revanche, il prit du temps pour lui expliquer le fonctionnement d'un pistolet hypodermique.

Tout en terminant ses explications, il se rendit compte qu'il n'aimait pas l'idée de la laisser seule, même si la maison était

154

hautement sécurisée. Pourtant, il ne pouvait pas le lui dire, sans risquer de l'effrayer inutilement. Il ne souhaitait pas non plus risquer de mentionner certains événements dont il n'avait pas envie de parler.

— Je ne serais pas parti très longtemps, dit-il. Vous serez très bien ici.

— Certainement.

Durant leur voyage, elle l'avait remercié plusieurs fois pour son aide, mais à présent elle était inhabituellement calme. Lui en voulait-t-elle de la laisser ?

— Je crois que je ferais mieux de partir, dit-il. Jo va prendre une navette et me retrouver à l'aéroport. Les placards sont bondés de boîtes de conserve, et le réfrigérateur est plein lui aussi. Je vais essayer de rentrer ce soir, mais il sera certainement très tard. Ne m'attendez pas, et couchez-vous.

Elle s'approcha de lui et le regarda droit dans les yeux.

— Croyez-vous vraiment que je pourrai m'endormir sans savoir si j'irai en prison dès demain matin ?

Il aurait aimé pouvoir lui promettre que cela ne risquait pas d'arriver, mais il n'en était pas certain lui-même. Impossible de lui mentir ou lui donner de faux espoirs. Dans les prochaines vingt-quatre heures, tout pouvait arriver, et même lui pourrait être accusé d'obstruction à la justice, si jamais Erskine le décidait.

Durant un bref instant, il eut envie de la prendre dans ses bras et de la réconforter. Cette même vision se changea soudain en une image bien plus érotique.

— Je sais que vous êtes inquiète, dit-il. Néanmoins, ne vous mettez pas martel en tête, d'accord ? Laissez-moi voir ce que je peux encore faire, avant de penser à la prison.

Elle hocha la tête, pourtant il remarqua quelque chose briller au fond de ses yeux, et cela ressemblait fort à des larmes.

— Pourquoi faites-vous ceci ? lui demanda-t-elle. Pourquoi pariez-vous ainsi sur moi ? Tout cela pourrait vous exploser à la figure, n'est-ce pas ?

Elle ne croyait pas si bien dire. Il n'y avait aucune affinité entre Robert et son patron, surtout que Robert était l'un des candidats pour le poste qu'Erskine occupait actuellement. Même sans cette complication, Erskine n'apprécierait pas vraiment de savoir que Robert avait caché une suspecte sans son autorisation, et désobéit à l'ordre de la ramener à Los Angeles.

Il était préoccupé, mais ne pouvait pas faire part à Swan de ses tourments. De plus, ce n'était pas pour elle qu'il faisait tout cela, ou tout du moins, c'était ce qu'il s'efforçait de croire. Sinon, il ferait aussi bien de raccrocher son insigne et son arme.

Il marcha jusqu'à la baie vitrée qui surplombait les falaises et l'océan. C'était une vue absolument superbe, mais en cet instant, il n'y avait aucun bateau à l'horizon, ni aucun oiseau dans le ciel, et soudain il se sentit inexplicablement seul.

— Cela fait plus de cinq ans que je cours après Arthur Forrest, dit-il, et j'ai bien l'intention de le mettre en prison pour un sacré bon bout de temps, mais j'ai besoin que son complice se dévoile.

Swan essuya sa joue d'un revers de main.

— Donc, tout ceci ne concerne qu'Arthur Forrest ?

— De quoi d'autre pourrait-il bien s'agir ? demanda-t-il, se maudissant de sa lâcheté.

— De moi. De vous, insista-t-elle. De quelque chose de bien plus important.

— Il ne peut pas s'agir de moi, ni de vous, Swan. Vous risquez d'être un témoin dans cette affaire, et je ne veux pas m'aventurer sur ce terrain.

— Vous voulez dire que vous ne voulez pas y retourner. Vous ne voulez pas revivre une telle chose.

— Pourquoi dites-vous cela ? Que voulez-vous dire par « revivre » ?

— Je suis au courant de l'affaire Paula Warren, dit-elle.

Incrédule, Robert la regarda.

— C'est Jo qui vous a mis au courant ? Il n'avait pas le droit de parler de ça avec vous ni même avec personne.

— Ne reprochez pas à Jo son honnêteté, dit-elle, se plantant devant lui. Tout ce qu'il faisait, c'était de m'aider à comprendre pourquoi vous êtes toujours si distant. Je suis sûre qu'il ne m'a rien dit qui ne soit pas vrai. Et d'autre part…

— D'autre part, quoi ?

— Comment suis-je supposée découvrir quoi que ce soit sur vous, sans interroger personne ? Vous n'êtes pas très loquace.

— Qu'est-ce que vous voulez savoir ?

— Eh bien, tout d'abord à propos de nous… et ne me dites pas qu'il n'y a rien à dire. Parce que ce serait faux !

— Il y aurait probablement beaucoup de choses à dire, mais à quoi cela servirait-il ? Vous savez très bien ce qui se passe chaque fois que je m'approche de vous, Swan. Que dire de plus ?

— Alors c'est seulement du désir physique ? Il n'y a rien de plus profond que cela ?

Bon sang ! Robert comprit que Swan n'allait pas lâcher prise de sitôt. Il se rendait bien compte qu'elle voulait qu'il lui avoue ses sentiments. Mais comment aurait-il pu ? Rien que l'idée de s'ouvrir à elle, lui permettre le plus petit accès à ses émotions, le terrifiait à un point qu'il avait du mal à comprendre. Il fallait absolument qu'il mette un terme à cette discussion, et tout de suite.

— Je ne sais pas ce que Jo vous a dit, mais moi je vais vous dire la vérité. Mon boulot, c'était de garder Paula vivante. Je devais assurer sa sécurité jusqu'à ce qu'elle puisse témoigner. Je ne suis pas tombé amoureux d'elle, je n'ai fait aucune des choses dont elle m'accusait, mais j'ai éprouvé des sentiments pour elle, des sentiments que je n'aurais jamais dû avoir. J'ai baissé ma garde, et je lui ai fait du mal. Au moment où elle avait le plus besoin de moi, je n'étais pas là, elle en a payé le prix. Cela n'arrivera plus jamais.

Swan resta silencieuse.

— Vous voulez parler de sentiments ? demanda-t-il. Bien sûr que j'éprouve des sentiments pour vous, mais je suis également responsable de votre sécurité, et cette responsabilité est prioritaire sur mes émotions. Si vous pouviez vous mettre cela dans la tête une bonne fois pour toutes, cela serait bien mieux pour nous, compris ?

Il n'aimait pas se servir de son passé pour la tenir loin de lui, mais Swan était tenace. On avait l'impression qu'elle ne savait jamais quand s'arrêter. Il se retourna vers elle, ne sachant pas quoi s'attendre : peut-être un peu plus de larmes dans ses yeux.

Au lieu de cela, son regard se posa sur une femme qui semblait plus déterminée que jamais.

— Alors comme ça, vous éprouvez des sentiments pour moi ? Quelle sorte de sentiments ?

— Oh, mon Dieu ! Swan, je vous en prie...

— Ce n'est pas une question très difficile, Robert.

Il se passa la main dans les cheveux.

— Est-ce que je parle dans le vide ? Je vous ai dit d'oublier tout cela.

— Désolée, je ne peux pas. Et je refuse. Ce que je veux, Robert, c'est savoir si l'attirance que vous éprouvez pour moi est purement physique, ou s'il y a quelque chose de plus profond derrière. Et si c'est le cas, je veux savoir exactement ce dont il s'agit.

Elle s'approcha tout près de lui, et le regarda droit dans les yeux.

— Cela ne vous tuera pas de répondre à cette question.

— Non, mais vous pourriez y perdre la vie.

Elle secoua la tête.

— Vous vous trompez. Vous portez cette culpabilité en vous depuis tant d'années, qu'elle est presque devenue une part de vous-même. Combien de temps allez-vous encore continuer à vous blâmer pour une chose à laquelle vous ne pouviez rien ? Je sais que Paula était fragile émotionnellement, et certainement obsédée par vous. Mais que pouviez-vous faire ? La mettre dans votre poche et l'emmener avec vous vingt-quatre heures sur vingt-quatre ? Je suis désolée de ce qui lui est arrivé, mais il faut que vous pensiez à vous, et que vous viviez votre vie.

Pour la première fois depuis des années, Robert eut l'impression que l'on retirait tout le poids de ce tragique épisode de ses épaules. Le plus incroyable était qu'il n'avait jamais été capable de le faire lui-même. C'était Swan qui venait de réussir ce miracle, en l'ennuyant avec ses questions, en lui tenant tête, et en le poussant dans ses retranchements.

— Je n'aurais pas dû éprouver de tels sentiments pour elle, insista-t-il.

— Allons donc ! N'est-ce pas vous qui m'avez dit que les agents du FBI pouvaient tout à fait éprouver des sentiments, du moment qu'ils ne se laissaient pas gouverner par eux ?

Il sourit, mais elle n'en avait pas encore fini avec lui.

— Que suis-je supposée faire si tu ne reviens pas ? murmura-t-elle.

Une mèche de cheveux avait glissé sur son visage, et il l'écarta tendrement. Il avait toujours rêvé de faire cela.

Ainsi qu'un million d'autres choses. Mais il ne pouvait pas se laisser aller maintenant.

— Je dois partir, dit-il. Tu seras en sécurité ici.

Elle posa une main sur sa poitrine, et il resta ainsi, un instant à la regarder. Il brûlait d'envie de la prendre dans ses bras, et de l'enlacer. Mais ceci était contre le règlement.

Il était près de cinq heures de l'après-midi, lorsque Tom Erskine fit entrer Robert et Jo dans son bureau. Erskine avait beau être à présent un bureaucrate, Robert l'avait toujours respecté. Il savait que Tom avait passé des années dans les rues, et avait résolu de très nombreux cas épineux. Ils avaient même travaillé ensemble sur l'affaire Paula Warren, et lorsque le bureau des affaires internes avait enquêté sur Robert, Erskine l'avait soutenu de son mieux. Robert n'avait jamais su ce qui s'était dit derrière les portes closes, mais il était certain que l'intervention d'Erskine l'avait aidé à sauver sa peau.

— Asseyez-vous, et dites-moi pourquoi je me trouve en face de deux personnes, au lieu de trois, lança Erskine. Où est notre suspecte ?

Jo et Robert avaient déjà décidé que ce serait Robert qui mènerait la conversation.

— Avant que nous entrions dans les détails, dit Robert, je veux que vous sachiez que Jo n'a rien à voir avec tout ceci. C'était ma décision de ne pas amener Mme Mc Kenna ici, et j'en prends toute la responsabilité.

Erskine lança un coup d'œil interrogateur à Jo, qui se contenta de hausser les épaules.

— Elle est en sécurité, continua Robert.

— Vous avez laissé un suspect seul ? Dites-moi que j'ai mal entendu, dit Erskine.

— Il n'y a absolument aucun risque.

— Comment peux-tu en être aussi sûr ?

— Elle n'a jamais été impliquée dans quoi que ce soit auparavant, elle n'a même jamais eu d'amende. Elle réside depuis longtemps au même endroit, de nombreuses personnes peuvent attester de sa bonne foi. C'est une femme d'affaires respectée, qui se consacre entièrement à sa société. Nous ne sommes pas en train de parler d'une criminelle, Tom. Nous parlons d'une victime, une autre sur le long parcours d'Arthur Forrest. Il s'est servi d'elle, et probablement aussi de son associée. Mais ce n'est pas pour cela que je ne l'ai pas amenée ici.

Erskine resta silencieux, et Robert continua.

— En fait, Mme Mc Kenna s'est fait agresser, c'était du sérieux. J'aurais dû attraper le gars, mais il s'est enfui et je suis sûr qu'il recommencera.

— Tu penses que ce gars était un complice de Forrest ?

Erskine parlait d'un ton calme, et Robert comprit qu'il faisait tout son possible pour masquer son impatience. Pour une raison quelconque, il avait envie de clore ce dossier.

— Non, je pense que le complice de Forrest est une femme, dit Robert. C'est de cette façon qu'Arthur travaille. Il escroque des femmes, mais cette fois il en a trouvé une à sa hauteur. C'est quelqu'un qui a le pouvoir d'autoriser des virements électroniques et de faire d'importants transferts. Elle a dû engager un voyou pour récupérer l'argent.

Jo se mêla à la conversation.

— Cette complice ne sait apparemment pas qu'Arthur Forrest est en garde à vue, donc elle doit penser qu'il l'a doublée, et elle essaye de récupérer l'argent, avant qu'il ne mette la main dessus.

— Et elle essaiera de nouveau, insista Robert. Nous avons besoin d'un petit peu plus de temps, juste pour faire un autre défilé, et nous pourrons l'attraper, elle ou la personne qui accomplit le sale boulot. Entre-temps, tu pourrais vérifier qui, à la First National Héritage, a le pouvoir d'autoriser des transferts aussi importants.

Erskine les regarda tous les deux.

— Apparemment, vous avez l'air de bien vous amuser avec les défilés de cette jeune dame. Mais l'heure de la récréation est terminée.

Robert secoua la tête.

— Laissez-moi terminer, aboya Erskine. Je veux Mc Kenna ici ce soir, et je vous donne exactement quarante-huit heures pour clore ce dossier. Si nous n'avons pas trouvé de complice d'ici là, nous nous en tiendrons à l'évidence, ce qui signifie que votre créatrice de sous-vêtements est au moins aussi coupable qu'Arthur Forrest.

— Ce serait une erreur de l'amener ici, dit Robert. Cela l'obligerait à annuler sa tournée, ce qui semblera suspect. Le complice fera marche arrière.

— Je devrais vous inculper tous les deux, dit Erskine, voilà ce que je devrais faire. Pour l'instant, considérez-vous comme consignés dans cet immeuble jusqu'à nouvel ordre. Je vais envoyer quelqu'un de notre bureau de San Francisco prendre notre suspecte et la ramener ici, et je ne veux aucune objection.

— C'est hors de question, Tom, dit Robert d'une voix sourde. Tu avais tort en pensant que le complice ne nous suivrait pas à San Francisco. Il nous a suivis et Mme Mc Kenna s'est fait agresser par quelqu'un qui essayait de récupérer ce chèque, et elle aurait pu être tuée. J'ai du mal à comprendre pourquoi tu es si pressé de refermer ce dossier, mais si cela a quelque chose à voir avec les rumeurs comme quoi je briguerais ton poste, tu peux te détendre. Je ne veux pas de ce boulot. Je n'en voudrais pas même si on me l'offrait.

Etonné, Jo jeta un coup d'œil à Robert. Erskine réagit promptement.

— Jo, j'aimerais parler à Robert en privé, dit-il. Cela ne te dérange pas d'attendre dehors ?

Jo se leva et fit un clin d'œil amical à Robert en sortant. Robert ne s'attendait pas à une telle solidarité. Jo n'avait plus que deux ans à faire avant de prendre sa retraite. Il devrait plutôt s'occuper de se couvrir, au lieu de se préoccuper du sort de son partenaire, quelle que soit la sympathie qu'il pouvait éprouver pour lui.

Une fois qu'ils furent seuls, Erskine se balança sur sa chaise un moment. Sa voix était étrangement calme lorsqu'il parla.

— Je ne suis pas certain de ce qui est en train de se passer, Robert, mais je n'aime pas du tout la façon dont tu t'occupes de ce dossier. Cela me rappelle de mauvais souvenirs.

Erskine faisait référence au cas Paula Warren et Robert pouvait difficilement l'en blâmer. Il y avait effectivement de nombreuses similitudes.

— J'ai bien peur que tu ne sois devenu trop proche de notre suspecte, Robert. J'ai raison ? C'est le cas ?

« Bien plus que je ne le voudrais », songea Robert.

— Je peux tout à fait continuer à m'occuper de ce cas, répondit-il.

— Tu n'as pas répondu à ma question. Es-tu devenu trop proche d'elle ?

Robert ne répondit pas, et le visage d'Erskine resta impassible.

— Je te retire cette affaire, dit-il. Dès demain matin, tu seras affecté sur un autre dossier, mais ne crois pas que tu vas t'en tirer ainsi. Tu pourrais avoir à t'expliquer avec le conseil de discipline.

Robert se leva.

— Je suis vraiment désolé que tu le prennes ainsi.

Il sortit son arme de son étui, en retira le chargeur, et les déposa tous deux sur le bureau d'Erskine. Son badge et sa plaque suivirent.

— Je vais t'éviter d'avoir à me faire passer en conseil de discipline, dit-il. J'ai embrassé cette carrière pour renforcer la loi, pas pour mettre la vie d'autres personnes en danger. S'il est vrai que je suis trop proche du suspect, alors je reconnais que c'est un problème, mais tes propositions, et notamment le fait de la ramener ici, sont bien pires. C'est un abus de pouvoir, et je ne m'y joindrai pas.

Il n'attendit même pas la réponse d'Erskine. Il avait pris sa décision, et rien ne le ferait changer d'avis. Swan Mc Kenna avait besoin de lui, comme Paula avait eu besoin de lui. Et il n'allait pas la laisser tomber, comme il l'avait fait avec Paula. Si cela devait lui coûter sa carrière, si cela signifiait passer quelque temps en prison, alors il en prenait le risque.

— J'aurais pu porter plainte contre toi ! cria Erskine tandis que Robert se dirigeait vers la porte.

Robert se retourna.

— Oui, tu aurais pu.

— Fiche le camp d'ici, et dis à Jo de rentrer.

— Dis-le-lui toi-même, répondit Robert en refermant la porte derrière lui.

Robert regardait fixement sa tasse de café et la part de tarte posée devant lui, à laquelle il n'avait pas touché. Il ne savait plus combien de tasses il avait déjà bu, mais il sentait déjà la caféine lui monter au cerveau.

Où diable était Jo ? Avant leur réunion avec Erskine, Jo lui avait promis de le retrouver dans un café, si les choses tournaient mal. Cela n'aurait pas pu être pire, et Robert s'était imaginé que Jo viendrait le retrouver comme prévu, mais il était en retard de plus d'une heure.

Il regarda sa montre. Il avait raté le premier vol de retour pour San Francisco, mais il savait qu'il y en avait un autre un peu plus tard dans la soirée. Il essaierait d'y trouver une place. En soupirant, il laissa un billet sur la table et se dirigea vers la porte de sortie.

Il était nerveux, et ce n'était pas simplement à cause de la caféine. Après sa sortie théâtrale du bureau d'Erskine, il ne savait pas à quoi s'attendre. Qui sait si Tom n'enverrait pas des agents pour l'appréhender ?

Quelques instants plus tard, il se trouvait au coin de la rue et se préparait à héler un taxi. Pourtant quelque chose l'en empêcha : la silhouette de l'immeuble des bureaux du FBI, qui se dressait quelques rues plus loin.

Cela faisait plus de douze ans maintenant qu'il en faisait partie. Swan avait dit que le FBI était sa vie, et elle avait peut-être bien raison. Cette citadelle lui avait servi de maison et de famille. En la regardant, et en sachant qu'il n'en faisait plus partie, il eut l'impression d'avoir été parachuté sur une autre planète, dont il ignorait complètement les règles. Deux questions résonnaient dans sa tête.

Que diable avait-il fait ? Et qu'allait-il faire à présent ?

Il fallait qu'elle fasse quelque chose. Elle ne pouvait pas rester assise là, à attendre que Robert revienne.

La maison de Jack était dans un état impeccable. Au cas où elle l'aurait souhaité, elle n'aurait rien trouvé qui ait besoin d'être nettoyé. Même si, aujourd'hui, l'ami de Robert ne semblait plus guère passer de temps ici, il était évident que ce chalet avait autrefois été sa fierté et sa joie. Que diable pourrait-elle faire, à part changer tous les meubles de place ?

Elle se dirigea vers la cuisine, où elle trouva une boîte de son thé préféré à la pêche. Lorsqu'elle mit la bouilloire sur le feu, elle regarda l'horloge sur le mur. Cela faisait à peine plus d'une heure que Robert était parti. La journée allait être très longue.

Quelques instants plus tard, elle s'installa dehors sous la véranda, sa tasse de thé à la main, son téléphone portable et la télécommande dans la poche de son jean. L'air frais et l'apaisante mélodie de l'océan lui feraient du bien.

Soudain, elle décida de composer le numéro de téléphone de Lynne. Pourtant, un message lui indiqua que le réseau n'était pas suffisant. C'était aussi bien. Comment pourrait-elle cacher son angoisse à Lynne, et pourquoi l'inquiéter inutilement, puisque son amie ne pourrait rien faire pour l'aider ?

Jamais elle ne s'était sentie à ce point dépendante de quelqu'un.

Robert reviendrait-il ?

Combien de fois dans la journée allait-elle se répéter cette question ? Peut-être essayait-elle de se préparer au pire, mais elle ne savait vraiment pas ce qu'elle ferait s'il ne revenait pas.

Finalement, elle décida que, si Robert ne réapparaissait pas, elle irait directement voir les autorités. Peut-être lui faciliterait-elle ainsi les choses. Néanmoins, il faudrait qu'elle trouve un moyen de partir d'ici. Peut-être que si elle mettait l'alarme en marche, quelqu'un viendrait : soit l'ami de Jack, soit la compagnie de sécurité.

Une étrange sensation l'envahit. Pourquoi ne pas envisager le meilleur, pour une fois ? Pourquoi ne pas imaginer le retour de Robert, qui lui apprendrait qu'il avait reçu l'agrément de ses supérieurs pour qu'elle puisse continuer sa tournée ?

Se sentant ragaillardie par cette idée, elle prit sa tasse, rentra à l'intérieur, et se dirigea vers la cuisine. Jack Mathias avait suffisamment de nourriture stockée là, pour tenir un siège durant un bon mois. Malheureusement, il ne s'agissait que de boîtes de conserve. Il n'y avait ni légumes frais, ni lait, ni œufs, mais elle trouva deux énormes steaks, et des bouquets de brocolis dans le congélateur, ainsi que quelques pommes de terre dans un casier. Ouvrant le frigo, elle soupira de délice en découvrant un pot de champignons. Elle allait pouvoir préparer un succulent repas avec tout ça. Il ne lui restait plus qu'à enfiler une autre tenue, plus séduisante, pour accueillir Robert.

Elle se dirigea vers la chambre d'amis où il avait déposé son sac, et choisit ses vêtements.

Oui, il allait revenir, soupira-t-elle en croisant les doigts.

11.

Swan n'avait aucune idée du nombre d'heures qu'elle avait passées allongée sur le canapé du salon, à attendre. Elle se sentait complètement engourdie.

Elle voulait garder espoir. Sinon, tout tomberait à l'eau, y compris sa carrière.

Si le pire se réalisait, et que Robert ne réapparaisse pas, il faudrait qu'elle utilise l'alarme et attende l'arrivée de quelqu'un. Puis elle irait voir les autorités, et regarderait sa vie s'écrouler. Lynne et Gérard en souffriraient également, et les boutiques La Bomba, qui leur avaient donné leur première chance, en subiraient les conséquences économiques. Toute cette affaire paraîtrait évidemment dans les journaux, et leurs familles respectives en seraient détruites. Sa mère, bien sûr, n'aurait de cesse de lui dire que l'univers entier conspirait contre ceux qui ont des rêves... Alors dans ce cas, à quoi bon en avoir et s'y accrocher ?

Soudain, elle entendit des bruits à l'extérieur. Comme des pneus sur le gravier. Une voiture ? Elle tendit l'oreille pour écouter.

Etait-ce Robert ? Etait-il réellement revenu ?

Elle faillit crier en entendant une clé se glisser dans la serrure et la déverrouiller. La porte s'ouvrit en grand.

— Robert ?

Il se tenait debout dans l'embrasure de la porte, l'air étonné.

— Tu attendais quelqu'un d'autre ? demanda-t-il.

Elle le fixa du regard, à peine consciente de son air interloqué. Robert avait l'air mal en point. Il semblait soucieux, et n'était pas au mieux de sa forme. Mais il était revenu.

— Comment ça va ? demanda-t-elle.

— J'ai besoin d'un verre, dit-il, en se dirigeant vers le bar. Tu en veux un ? demanda-t-il en prenant une bouteille de whisky et en se servant.

Habituellement, elle ne buvait pas d'alcools forts, mais l'instant semblait s'y prêter. Soudain, elle remarqua qu'il ne portait pas son étui sur l'épaule.

— Où est ton arme ? demanda-t-elle.

— Bois, suggéra-t-il. J'ai des choses à te dire.

Il vint s'asseoir sur le canapé à côté d'elle, et elle eut à peine le temps de boire quelques gorgées, qu'il lui avait déjà raconté ce qui s'était passé dans le bureau d'Erskine.

— Tu as rendu ton insigne ? Tu l'as posé devant lui et tu es sorti de son bureau ?

— Oui, on peut résumer les choses ainsi ; je n'ai pas été arrêté.

— C'est pour cela que tu n'as plus ton arme ? Ils te l'ont prise ?

Apparemment, le fait qu'il n'ait plus d'arme semblait la tracasser. Son verre à la main, il se leva du canapé, et se dirigea vers la baie vitrée.

— Ils ne me l'ont pas prise, c'est moi qui l'ai rendue.

Swan était abasourdie. Elle posa son verre sur la table basse, et se dirigea droit vers lui.

— Robert, dit-elle, mon Dieu, qu'as-tu fait ?

— N'en fais pas toute une histoire…

— Toute une histoire ? Bon sang ! Mais tu adores ce boulot. Même si tu ne me l'as pas dit de cette façon, je sais que le FBI est toute ta vie.

— Pourrions-nous changer de sujet ? Crois-moi, les choses sont bien mieux ainsi.

— C'est à cause de moi que tu as fait cela ? chuchota-t-elle.

— Eh bien, je n'avais pas vraiment beaucoup le choix, dit-il en soupirant.

— Oh, je vois, il ne t'a laissé aucune autre possibilité. Mais peut-être se rendra-t-il compte de son erreur, et finira par te supplier de revenir.

— Swan…

— Je sais que tu l'as fait pour moi, Robert, et j'ai encore du mal à y croire. Personne n'a jamais rien fait de tel pour moi. Jamais… jamais…

Des larmes commencèrent à briller dans ses yeux, et elle ne put terminer sa phrase.

— Jamais, quoi ? demanda Robert.

— Jamais personne n'a cru en moi à ce point.

Elle continua à le regarder droit dans les yeux.

Et commença à déboutonner sa chemise.

— Que fais-tu ? demanda-t-il.

— Je veux juste que tu te mettes à l'aise.

Ce qu'elle aurait voulu par-dessus tout, c'est qu'il soit complètement nu et qu'il l'embrasse passionnément.

Apparemment, il ne savait plus que penser de la situation. Il venait de tout quitter pour elle, et n'avait plus rien à gagner, mais tout à perdre. Robert était un homme d'honneur et d'intégrité. Peut-être l'amour était-il également en jeu dans cette histoire ?

— Attention à toi, dit-il. Je ne fais plus partie du FBI. A présent, je suis complètement libre de t'embrasser.

— Je sais. De toute façon, je n'ai jamais aimé ces règles, répondit-elle en continuant à détacher sa chemise.

Sa peau nue apparut sous ses doigts. A présent, elle allait faire glisser sa chemise sur ses épaules, et la laisser tomber à terre. Soudain, elle comprit ce qu'elle était en train de faire.

— Je suis en train d'enlever sa chemise à un homme, dit-elle. Toute ma vie, j'ai rêvé de faire ce geste.

Elle le regarda. Ses yeux étaient sombres de désir. Il avait autant envie d'elle, qu'elle de lui, mais apparemment quelque chose le retenait encore. Peut-être n'avait-il pas réussi à faire tomber toutes ses barrières.

— Je suis le premier homme à qui tu retires sa chemise ? lui demanda-t-il, incrédule.

— Pour moi, tu es le premier en tout. La malheureuse expérience qui a eu lieu quand j'avais seize ans ne compte pas.

— Plus rien ne compte en cet instant, dit-il, en l'enlaçant.

Elle se blottit tout contre lui, et posa sa tête sur son épaule.

— Je croyais que tu ne reviendrais pas, dit-elle.

— Pourquoi en aurait-il été autrement ?

— Je ne sais pas.

Tendrement, il caressa son visage du bout des doigts, passant son pouce sur son front, puis le faisant doucement courir sur sa joue.

— J'ai toujours voulu être caressée comme ça, chuchota-t-elle. Partout.

Ses propres aveux la surprenaient elle-même.

— Peut-être ne devrions-nous pas faire ceci, dit-il. Peut-être est-ce trop tôt.

— Non, je ne crois pas.

Elle se serra un peu plus contre lui, ses seins s'écrasèrent contre sa poitrine, et leurs hanches se mêlèrent.

Elle sentit son érection contre son ventre. Il caressa le bas de son dos, et fit glisser ses mains sur ses fesses, qu'il pressa contre lui. Puis il commença à onduler contre elle, comme s'il lui faisait déjà l'amour.

— Fais-le, chuchota-t-elle.

Il écrasa sa bouche contre la sienne. Puis, elle sentit qu'il lui mordillait les lèvres.

— Ta bouche a le goût du whisky, murmura-t-il. Et moi j'ai envie de te boire jusqu'à la dernière goutte.

Il continua à caresser le bas de son dos, tandis que ses lèvres glissaient dans son cou. Elle se cambra sous ses baisers brûlants, et gémit tout en se frottant contre son bas-ventre.

— Nous pouvons toujours nous arrêter là, dit-il, il n'est pas trop tard.

— Je suppose que tu plaisantes, répondit-elle, en ondulant des hanches contre son érection.

A présent, il caressait un point si sensible derrière son oreille, provoquant de délicieux frissons. Les mains de Swan s'aventurèrent un peu plus bas sur son torse, et se posèrent sur la boucle de sa ceinture, mais il la repoussa doucement.

— Pas si vite, dit-il, nous avons tout notre temps. Je veux découvrir chaque parcelle de ton corps.

Il déposa délicatement un baiser sur ses lèvres, puis la laissa plantée là, et se dirigea vers la cheminée pour y allumer un feu. Lorsqu'il eut terminé, il l'attira vers lui, et la prit dans ses bras. Les flammes brûlaient dans la cheminée, les enveloppant de leur chaleur et de leur lumière rougeoyante. Robert lui caressa les cheveux. Doucement, il lui bascula la tête en arrière, et posa un baiser dans son cou.

Le cœur de Swan battait à tout rompre, et elle sentait qu'il en était de même pour le sien. De nouveau, il lui caressa délicatement le visage. Elle avait envie de lui prodiguer les mêmes caresses, mais elle résista. Il avait dit qu'il voulait se donner le temps de la découvrir, et elle le laissa faire. Soudain, elle se rendit compte qu'il semblait l'étudier.

— A quoi penses-tu ? demanda-t-elle.

Elle vit son regard se baisser jusqu'à ses seins, dont elle sentit la pointe se durcir encore un peu plus.

— Ce sera peut-être la première et la dernière fois pour nous deux, Swan. Je veux que cela reste inoubliable.

— Cela ne sera pas nécessairement la dernière fois, répondit-elle.

Pourtant elle savait très bien ce qu'il voulait dire par là. Il évoquait la possibilité qu'ils se retrouvent chacun en prison, dans un futur très proche.

Lentement, il détacha le premier bouton de son chemisier. Au fur et à mesure qu'elle sentait les boutons s'ouvrir, ses inhibitions refaisaient surface. La trouverait-il séduisante ? Cela faisait si longtemps qu'aucun homme ne l'avait vue nue. Leur relation serait-elle transformée après ce moment d'intimité ?

Mais en fait, pouvait-on vraiment parler de relation entre eux deux ?

Robert ne semblait pas s'encombrer de telles pensées, et continuait à déboutonner son chemisier qu'il laissa tomber à terre. En sentant le vêtement glisser le long de ses bras, elle sentit également ses craintes s'évanouir. Parfois, il fallait savoir prendre des risques. Il fallait savoir affronter ses peurs. Elle voulait que Robert la prenne dans ses bras, qu'il lui ouvre son cœur, et l'aime. Si demain elle en avait le cœur brisé, peu importe. Cette nuit aurait existé, et c'était tout ce qui comptait.

Ses gestes étaient extrêmement lents. Elle le regarda, lut dans son regard l'intensité de son désir, et comprit qu'il combattait ses propres envies, afin de donner à ce moment toute son intensité.

Il déboutonna sa jupe, juste assez pour la faire glisser sur ses hanches. Elle posa ses mains sur ses épaules, tandis qu'il se penchait pour ramasser son vêtement. Son visage n'était qu'à quelques centimètres de son sexe, et elle sentait son souffle chaud sur son intimité. Il glissa ses mains sur ses hanches, puis sur ses fesses, qu'il caressa. Elle posa ses mains dans ses cheveux et se cambra en arrière, tandis qu'il déposait un baiser en haut de ses cuisses. Il ne lui avait pas encore retiré sa culotte, mais elle se sentait déjà moite de désir.

Son souffle devint court, lorsqu'elle sentit sa bouche remonter entre ses cuisses. Puis elle poussa un soupir de frustration. Pourquoi s'était-il arrêté ? C'était si exquis.

Robert glissa ses doigts sous l'élastique de sa culotte, et la fit glisser le long de ses cuisses. Elle sentit la fraîcheur de la soie sur sa peau, contrastant avec la chaleur de ses doigts.

— Assieds-toi, dit-il.

Il y avait un fauteuil juste derrière elle, et elle supposa qu'il voulait qu'elle s'asseye dessus. Il était toujours agenouillé devant elle, et ne semblait pas avoir l'intention de s'asseoir avec elle dans le fauteuil.

Elle s'assit juste au bord, et posa une main sur ses cuisses.

— Allonge-toi en arrière, dit-il d'une voix rauque.

Elle obéit. Jamais elle ne s'était sentie aussi vulnérable. Il lui écarta les jambes, et commença à l'embrasser langoureusement entre les cuisses. Ses doigts caressaient doucement son sexe, et les sensations que ses caresses faisaient naître en elle la rendaient folle. A présent, il donnait de petits coups de langue sur ses cuisses, et elle savait pertinemment où il se dirigeait. Il prenait son temps, et elle en frémit d'anticipation.

Sa langue l'excitait, jamais elle ne s'était sentie dans un tel état. Finalement, sa bouche atteint son sexe, et elle crut qu'elle allait se mettre à crier. Doucement, du bout de la langue, il écarta les lèvres de son sexe, et commença à l'embrasser. Lorsque sa langue la pénétra, elle sentit ses mains se crisper sur les accoudoirs, et se laissa aller aux sensations qui l'envahissaient. Des étoiles explosèrent dans sa tête.

— Laisse-toi aller complètement, Swan, chuchota-t-il.

Il continua à la lécher, à embrasser son sexe, et soudain, un orgasme l'emporta, la faisant se cambrer et se presser encore plus fort contre sa bouche. Elle se mit à crier, et des vagues de plaisir déferlèrent en elle.

Emerveillé, Robert la regardait. Elle agrippa ses mains et cria son nom. Alors, il s'allongea à côté d'elle dans le fauteuil, et lui caressa le visage, exactement comme elle avait envie qu'il le fasse. Elle se blottit contre lui, lui murmurant des mots doux qu'il ne pouvait pas entendre.

De toute sa vie, il n'avait jamais désiré une femme à ce point. Pourtant, il avait l'impression qu'elle n'était pas encore prête à ce qu'il lui fasse complètement l'amour.

A présent, Swan l'embrassait dans le cou, ce qui attisa encore son excitation.

— Hmm, j'ai l'impression que tu as une superbe érection, dit-elle en le caressant à travers son pantalon.

— Tu ne devrais pas …

— C'est à ton tour, ou plutôt à mon tour de te donner du plaisir, rétorqua-t-elle.

— Non, je ne crois pas. Je garde mon pantalon.

— Laisse-moi faire…

Elle déboutonna son pantalon, baissa la fermeture Eclair, et le laissa tomber à ses pieds. Il s'en débarrassa complètement, légèrement embarrassé par son érection. Il était impossible de dissimuler le pouvoir qu'elle avait sur lui.

— J'ai envie de te toucher, murmura-t-elle.

Elle posa ses mains sur lui, et enveloppa son sexe dans ses paumes. Ses mains étaient douces comme la soie. Il n'aurait jamais pensé que son sexe puisse devenir encore plus dur.

Elle continua à le caresser pendant quelques instants, et ces moments furent pour lui comme une douce torture.

Puis, approchant son visage, elle posa ses lèvres sur son sexe, qu'elle embrassa de haut en bas. Mon Dieu, si elle continuait ainsi, il n'allait pas pouvoir se retenir très longtemps. Il baissa la tête pour la regarder, et en voyant ses lèvres posées sur son sexe, sa langue le lécher langoureusement, son plaisir s'accrut encore.

Finalement, elle s'écarta légèrement, puis prit son pénis dans sa bouche. Lorsqu'il sentit ses lèvres glisser sur son sexe qui s'enfonçait en elle, il gémit de plaisir. Il posa sa main dans ses cheveux, et guida doucement son visage. Son érection était bien trop grande pour qu'elle prenne son membre viril complètement dans sa bouche, et il la laissa le caresser et le lécher comme elle en avait envie. Chaque caresse, chaque mouvement de ses lèvres et de sa langue le rendait de plus en plus fou. Au lieu de ralentir, Swan accéléra la cadence, le suçant de plus en plus vite.

— Il faut que tu t'arrêtes, dit-il, je ne veux pas jouir ainsi, je veux être en toi.

Swan sentit la pression de ses mains sur elle, et entendit le son rauque de sa voix, mais elle se sentait comme envoûtée, et continuait à faire aller et venir avidement son sexe dans sa bouche.

Robert posa alors les mains sur son visage, et l'écarta légèrement, en soupirant.

— Je suis désolée, dit-elle, légèrement étourdie.

— Non, ne t'excuse jamais de donner autant de plaisir à un homme. C'est trop bon.

176

De nouveau, ils s'allongèrent tous deux dans le fauteuil, bras et jambes emmêlés, et s'embrassèrent passionnément. Chacun donnait l'impression de vouloir se fondre dans l'autre.

Tout ce qu'elle désirait en cet instant, était le sentir en elle. Il devina qu'elle était prête et il s'allongea contre son flanc. Il laissa son sexe se glisser en elle. Alors, donnant un grand coup de hanches, Swan le fit pénétrer en elle aussi profondément que possible, s'ouvrant pour lui comme une fleur sous les rayons du soleil.

Un cri monta en elle lorsqu'elle atteignit l'orgasme, c'était un cri qui l'étonna elle-même, un cri qui ressemblait à une capitulation. Robert continua à aller et venir en elle. Il plongea en elle un peu plus profondément, puis se laissa, lui aussi, aller au plaisir.

Son cœur tambourinait encore dans sa poitrine, lorsque Robert la regarda droit dans les yeux.

— Swan, chuchota-t-il, ne me laisse plus jamais seul.

Elle sentit son cœur s'étreindre, en comprenant la tristesse de ce qu'il venait d'admettre. Robert était un homme seul. C'était la première fois qu'il s'ouvrait autant à elle. Il venait de lui avouer qui il était vraiment, et pourquoi il gardait toujours autant ses distances. Son cœur avait été brisé, et à présent qu'il l'avait presque reconstruit, il ne pouvait plus accorder sa confiance à personne.

— Tu n'es plus seul, je suis là.

Il approcha son visage d'elle, et l'embrassa doucement, puis caressa son visage et son menton. Elle lui sourit, en faisant courir ses doigts dans ses cheveux.

— Je ne veux pas te blesser, dit-il, d'aucune façon.

— Comment le pourrais-tu ?

— Je ne laisserai jamais quiconque te faire du mal, Swan, jamais.

En soupirant, elle se blottit dans ses bras. Elle avait envie de connaître le sens exact de ses paroles, de savoir ce qu'il voulait vraiment dire, mais l'heure n'était pas à ce genre de discussion. Cette soirée avait été magnifique, unique, et ils avaient tous deux besoin de profiter de ce moment d'émerveillement. Tout ce qu'ils seraient suceptibles d'avoir à se dire, pourrait attendre le lendemain.

Elle venait de s'abandonner complètement, et elle voulait plus, bien plus de Robert.

12.

Swan se réveilla en sentant l'arôme du jambon grillé et du café frais. Elle était affamée. Et elle était également seule. Robert n'était plus dans le lit à son côté, et elle se demanda à quel moment il s'était levé et dirigé vers la cuisine. La nuit dernière, après avoir fait l'amour dans le fauteuil, ils s'étaient dirigés, main dans la main, dans la chambre principale de la maison. A peine s'étaient-ils glissés sous les couvertures, qu'ils s'étaient embrassés, caressés, puis, de nouveau adonnés au plaisir.

Robert savait-il cuisiner ? Ce serait parfait, songea-t-elle en s'étirant.

Soulevant l'édredon, elle examina son corps, qu'elle avait si honteusement négligé ces dernières années. Robert n'avait pas semblé gêné par la proéminence de son ventre, qui manquait également de fermeté, mais la nuit passée, ils avaient fait l'amour éclairés seulement par le feu de cheminée. La lumière du matin pourrait être brutale. Inutile d'apparaître nue à la table du petit déjeuner.

Elle regarda l'heure au réveil. Déjà 9 h 30 ? Habituellement, elle se levait au plus tard à 7 heures. Le défilé de Seattle n'était pas prévu avant le lendemain après-midi, mais il y avait plus de quinze heures de route à faire, et ils quitteraient la cabane de Jack ce soir. Au moins, Robert et elle pourraient-ils passer la journée ensemble. Elle avait laissé un message à Gérard, lui disant que tout allait bien, et qu'elle le verrait à Seattle comme prévu. Dieu merci, Gérard ne se laissait jamais dépasser par les événements, et il lui avait été d'un grand secours ces derniers temps.

Elle quitta le lit, et se dirigea vers la salle de bains, pour prendre une douche rapide. Pendant que l'eau coulait, elle se souvint des paroles de Robert. Il lui avait dit qu'il souhaitait ne jamais la blesser. Il lui avait ouvert son cœur, et avait touché son âme. A présent, comment ne pas se sentir liée à lui ? Elle aussi, s'était complètement offerte à lui, et elle s'en sentait transformée.

Pourtant, elle ne pouvait s'empêcher de penser à des questions plus rationnelles. Avait-il un futur ensemble ? Comment le savoir ? Comment y réfléchir, alors que tout pouvait leur arriver d'un jour à l'autre. Le complice de Forrest pouvait s'en prendre à elle et la blesser, voire la tuer. L'autre possibilité était qu'Erskine les fasse arrêter tous les deux, et qu'il la jette en prison. Quoi qu'il en soit, elle ne supporterait pas d'être séparée de Robert.

Tomber amoureuse de Robert Gaines était le plus gros risque qu'elle ait pris dans sa vie. Elle ne savait même pas si lui souhaitait nouer une véritable relation avec elle. Soudain, elle comprit que c'était la question qu'elle devait lui poser. Pourtant, elle n'était pas sûre d'en être capable.

Robert était en train de leur préparer à manger, et la cuisine embaumait de délicieuses saveurs. Il avait trouvé des tranches de bacon et un paquet de pommes de terre rissolées dans le congélateur, ainsi qu'un pain de seigle au raisin, déjà tranché.

Ce dont il avait besoin à présent était de caféine. Jack avait un ancien percolateur, et il avait hâte de déguster une bonne tasse de café serré. Habituellement, il n'était pas du genre à se lever de bonne heure, mais ce matin, il s'était réveillé dès 8 heures. L'habitude étant plus forte que tout, sa première pensée, en bon ex-agent du FBI, avait été de mettre sur pied un plan pour le prochain défilé. Sa seconde pensée avait été pour la femme couchée à côté de lui.

Il était resté quelques instants à la regarder dormir, se demandant comment elle avait pu lui faire perdre les pédales à ce point. Swan n'avait rien d'une femme fatale, elle ressemblait plutôt à une jeune fille innocente et gracieuse. En la contemplant, il avait soudain trouvé l'adjectif le mieux approprié pour elle.

Angélique.

Oui, elle était son ange, son ange magnifique, épuisée par une nuit de passion. Il aurait pu se pencher vers elle, et embrasser ses douces lèvres, mais il ne voulait pas la réveiller. Après toutes les émotions de ces jours passés, elle avait bien besoin de se reposer.

Bon sang, il était dans la panade ! Habituellement, les hommes ne pensaient pas aux femmes en ces termes, à moins d'être impliqués sur le plan émotionnel. Voire d'en être carrément amoureux.

Non, il n'en était pas encore là. Il s'en serait rendu compte bien avant, et aurait tout fait pour l'éviter.

Soudain, Swan apparut dans la pièce. Elle s'était enroulée dans une grande serviette blanche, qui la faisait encore plus ressembler à un ange. Bon sang ! Il devenait vraiment gaga. Son cœur tambourinait dans sa poitrine, et Swan n'avait pas l'air d'être à son aise non plus.

— Bonjour, dit-elle doucement.

— Assieds-toi, proposa-t-il, en lui indiquant la table, sur laquelle il avait déjà installé le couvert.

Soudain, il se rendit compte qu'elle n'avait pas bougé. Il se dirigea vers elle, lui souriant, et lui tendit la main.

— Je suis affamé. Et toi ?

Elle fut dans ses bras en deux secondes.

— Moi aussi.

Il rit et lui embrassa les cheveux. C'était pire que ce qu'il pensait. Il avait été touché par les flèches de Cupidon. Comment tout ceci était-il arrivé ? Apparemment, il avait oublié une de ses règles principales.

Ne tombe jamais amoureux !

Il lui servit à manger, et ils s'installèrent tous les deux à table. Durant quelques instants, ils ne dirent rien, savourant l'un et l'autre le déjeuner. Puis Swan le complimenta sur sa cuisine.

Il la contempla : même la bouche pleine, elle était adorable.

Oh, mon Dieu ! Préservez-moi de mes sentiments.

Ils terminèrent leur déjeuner, puis il débarrassa la table, et leur servit une nouvelle tasse de café. Soudain, Swan eut l'air sérieux.

— Robert, à propos de la nuit dernière...

Nous y voilà.

Elle réfléchit un instant, puis le regarda droit dans les yeux.

— Crains-tu de me blesser, à cause de ce qui est arrivé à Paula Warren ?

La surprise dut se lire sur son visage. Il ne s'attendait pas du tout à cela, mais peut-être était-ce mieux ainsi.

— Cela se pourrait, reconnut-il. J'ai failli à ma tâche avec elle, et je ne supporterais pas que les choses se reproduisent.

— C'est pour cela que tu n'as jamais donné aucune chance à une autre relation avec une femme ?

Apparemment, Miss Mc Kenna avait passé du temps à essayer d'analyser son cas…

— Ce n'est pas juste à cause de l'histoire de Paula, même si celle-ci est déjà largement suffisante pour me rendre prudent.

Il se força à poursuivre. Il fallait qu'elle soit au courant de tout. Il fallait qu'elle sache qui il était exactement. Peut-être après cela cesserait-elle de parler de nouer une relation avec lui.

— Une fois que le FBI a décidé que Paula n'était pas un témoin valable, ils m'ont retiré le dossier. Ils ont dit que j'étais trop proche de Paula, et m'ont ordonné de me tenir loin d'elle. Peut-être aurais-je pu accepter, s'ils lui avaient fourni une protection, mais ils ne l'ont pas fait. Ils l'avaient citée à comparaître et forcée à témoigner. Nous avions une responsabilité envers elle, nous devions assurer sa sécurité.

— Mais ça ne s'est pas passé ainsi. Et elle est morte.

Il détestait entendre cela, mais c'était pourtant la vérité.

— Trois jours après que j'ai été retiré de l'affaire, Paula a été trouvée morte d'une balle dans la tête. L'enquête a conclu à un suicide.

Ces mots lui laissaient toujours un goût amer dans la bouche.

— Bien sûr, on pourrait dire que c'est le FBI qui l'a laissée tomber, mais je n'étais pas d'accord avec leur méthode, et pourtant, moi aussi, je me suis éloigné d'elle. Mon boulot était-il plus important que sa vie ? Je ne crois pas.

Il resta silencieux, étudiant sa tasse de café, et Swan posa une autre question.

— Etait-ce un suicide ?

— J'en doute. Il y avait des anomalies dans le rapport balistique, et même les résidus de poudre sur sa tête indiquaient clairement qu'elle avait été assassinée. Mais elle a laissé une note, dans laquelle elle me blâmait.

Une note qu'Arthur Forrest l'avait certainement forcée à écrire, songea-t-il avec amertume. Bien sûr, il n'avait jamais pu le prouver, mais il en était persuadé.

— J'aurais aimé ne pas avoir à te poser ces questions, dit-elle. Je sais que c'est difficile pour toi.

Pourtant, elle n'en avait pas encore fini, ça il en était persuadé.

— Tu as dit que c'était à cause de Paula, que tu avais renoncé à avoir des relations personnelles avec des femmes. Est-ce que l'autre raison était ta fiancée ? Je ne veux pas t'ennuyer, Robert, mais j'ai besoin de comprendre dans quoi...

Dans quoi je me lance ? Etait-ce ce qu'elle essayait de dire ? Bien sûr, elle avait le droit de savoir, et il voulait qu'elle sache. Peut-être aurait-elle la bonne idée de faire marche arrière, lorsqu'elle découvrirait que Paula n'était pas la pire de ses histoires.

Il était réputé pour laisser tomber les femmes.

— Non, ce n'est pas à cause de ma fiancée. Elle, elle avait déjà décidé qu'elle n'avait pas envie d'être la femme d'un agent du FBI, avant même que ne débute l'affaire Paula Warren. Elle est quand même restée proche de moi, jusqu'à ce que toute l'affaire soit résolue, et je lui en suis reconnaissant. L'autre désastre de ma vie, c'est ma mère. C'était une alcoolique et elle est morte lorsque j'étais encore adolescent.

— Et tu te sens responsable de sa mort ? Tu crois que d'une certaine façon, elle aussi, tu l'as laissée tomber ?

Il secoua la tête.

— Tu ne peux pas obliger les gens à cesser de se faire du mal. Aujourd'hui, je le sais, mais à l'époque, ce n'était pas le cas. Ma petite sœur a grandi en regardant notre mère se détruire, et je suppose que j'essayais de la protéger, et de créer autour d'elle un semblant de famille. Notre père nous avait abandonnés depuis plusieurs années, à cause de l'alcoolisme de ma mère. Si quelqu'un devait faire quelque chose, c'était bien moi.

Il était toujours assis à la table, et le soleil qu'il sentait chauffer dans son dos annonçait une belle journée. Pourtant, il se sentait frigorifié. Même Swan gardait les bras croisés sur elle.

— Mais tu as dit que ta petite sœur s'était engagée dans l'armée, et qu'elle allait très bien !

— C'est le cas, Dieu merci !

— Donc, tu as fait du bon boulot avec elle. Tu l'as presque élevée, n'est-ce pas ?

Il hocha lentement la tête, tout à fait conscient de ce que Swan essayait de faire. Elle voulait l'obliger à reconnaître qu'il avait fait tout son possible pour deux personnes qui avaient choisi elles-mêmes de se détruire. Peut-être avait-il été attiré par Paula, à cause de ce qu'il considérait comme étant une réparation de l'échec avec sa mère. Peut-être même était-il tout à fait conscient de cela, au fond de lui-même, mais cela ne l'avait pas empêché de s'éloigner des femmes.

Swan était incroyable. Elle avait réussi à se faufiler sous les barrières qu'il avait érigées autour de lui et à toucher son cœur. Elle aurait tout à fait pu essayer d'en tirer parti, mais au lieu de cela, elle souhaitait l'aider à panser ses blessures.

Il la regarda, incertain de ce qu'il allait dire. Il n'avait jamais été très doué pour exprimer ses sentiments.

Une série de signaux sonores le sauva. Il plongea la main dans la poche de son pantalon, et en retira son téléphone portable. L'icône de messagerie clignotait, et l'horloge indiquait que le message lui était parvenu durant la nuit. Il est vrai qu'il avait été bien trop agréablement occupé à ce moment-là pour songer à vérifier sa messagerie.

Il tapa son code, et écouta.

— C'est Jo, dit-il à Swan en entendant la voix de son ancien partenaire.

Anxieuse, elle se rapprocha de lui.

— Que dit-il ?

— Il dit qu'Erskine lui a demandé le programme de tes défilés, et qu'il lui a donné un ancien itinéraire, disant que le dernier défilé aurait lieu à Portland. Erskine pense donc que nous nous dirigeons là-bas. Jo nous permet d'avoir du temps devant nous.

— On dirait que ce sont de bonnes nouvelles.

— C'est le cas, mais cela m'ennuie que Jo s'implique dans notre histoire. D'un autre côté, je ne suis pas certain que nous pourrions nous en sortir sans lui.

— Nous allons avoir besoin d'un plan, dit Swan, l'air soucieuse. Tu as quelque chose en tête ?

C'était le cas de le dire ! Les idées se bousculaient dans son esprit. Le défilé de Seattle serait sa dernière occasion de clore ce dossier, de capturer Arthur Forrest, et de blanchir le nom de Swan. Jo les couvrait, mais il y avait toujours la possibilité que le FBI fasse sa propre enquête, et envoie des agents fédéraux au défilé pour les arrêter. Les choses deviendraient alors délicates. Swan et lui se retrouveraient seuls, sans aucun autre soutien que Gérard.

Comment faire comprendre tout ceci à Swan sans l'effrayer ?

— Discutons de tout cela autour d'une bonne tasse de café, dit-il. Et quand nous aurons établi notre stratégie, j'aurai quelque chose à te montrer, dit-il pour alléger l'atmosphère.

— Qu'est-ce que c'est ?

Il était bien déterminé à ne lui donner aucun indice, d'autant qu'il n'avait encore jamais montré cette fameuse surprise à qui que ce soit.

— Tu verras bien, je suis sûr que tu vas aimer.

— Alors, qu'est-ce que tu en penses ? demanda Robert en tendant le bras vers la grotte qui s'ouvrait dans les rochers.

Elle s'arrêta, émerveillée, contemplant en silence la caverne qui s'ouvrait sur la mer.

— C'est magnifique, dit-elle. Comment l'as-tu découverte ?

— Lorsque j'ai été suspendu de mes fonctions, je suis venu ici pour aider Jack dans ses travaux. Et aussi pour prendre un peu l'air. J'avais l'habitude de faire de longues marches sur la plage, afin de trouver des réponses à mes questions. Un jour, j'ai levé la tête, et je l'ai vue.

Il lui prit la main, et la conduisit jusqu'à l'entrée. La caverne s'ouvrait au beau milieu des falaises. Des millions d'années d'érosion aquatique avaient creusé deux larges entrées, côte à côte. Au beau milieu, s'étalaient des dizaines de mètres de sable immaculé et illuminé en divers endroits par les rayons du soleil, qui coulaient à flots par de petites ouvertures dans la voûte de pierre.

— C'est absolument superbe, répéta Swan.

— Tu n'as pas encore tout vu.

Ils pénétrèrent à l'intérieur, et elle eut la sensation d'entrer dans une cathédrale. L'air était frais. Un doux murmure semblait remplir l'espace : le son étouffé des vagues qui se brisaient au-dehors, sur les rochers.

Swan avança de quelques pas, sa main toujours dans la sienne. Soudain, elle tendit l'oreille.

— Tu as entendu ça ? On dirait de l'eau qui coule.

Il entendait l'excitation dans sa voix. Elle était comme un enfant durant une chasse au trésor.

— Voilà, la véritable surprise !

Il serra sa main dans la sienne, et elle le suivit, s'exclamant à chaque seconde, en découvrant les fougères luxuriantes qui poussaient dans les niches de la roche, et jusque dans la voûte. Une abondante mousse verte recouvrait les rochers qui émergeaient du sable.

Mis à part Jack, Robert n'avait montré cet endroit à personne. C'était si bon de le faire découvrir à Swan.

— Par-là, dit-il en lui indiquant un mur devant eux.

Il la fit passer de l'autre côté. Là, devant leurs yeux, s'étendait une piscine d'eau claire, alimentée par une petite cascade. De larges rayons de soleil, coulant à flots par les ouvertures, brillaient à la surface de l'eau.

— Déshabille-toi, dit-il.

Elle écarquilla les yeux.

— Quoi ?

— Dépêche-toi ! Nous n'avons pas beaucoup de temps.

Il se déshabilla prestement, et laissa tomber ses vêtements sur le sable. Lorsqu'il fut nu, il se tourna vers elle. Elle le regardait comme s'il était devenu fou.

— Viens, répéta-t-il en se dirigeant vers l'eau. Il ne faut pas manquer cela.

— Manquer quoi ? Elle n'est pas froide ?

— Pas du tout. La concentration des rayons du soleil la réchauffe. D'ailleurs, elle est même plus chaude que l'air, mais cela ne va pas durer. Si tu veux en profiter, c'est le moment.

Elle avait plutôt l'air sceptique.

— Si tu le dis… Mais tourne-toi, que je me déshabille.

— J'ai déjà vu ton corps Swan. Je l'ai vu et j'en ai goûté chaque parcelle.

Elle rougit.

— D'accord, mais tourne-toi quand même.

Il obéit et l'entendit se déshabiller. Effectivement, il se souvenait de chaque centimètre de son corps, et même de la douceur de sa peau. Pourquoi diable le troublait-elle autant ?

Un instant plus tard, il l'entendit entrer dans l'eau.

— Ça y est, je peux me retourner ?

— Oui.

Lorsqu'elle s'approcha de lui, il la trouva encore plus belle. Aimer cette femme serait la chose la plus facile du monde, songea-t-il. Vivre avec elle serait peut-être un véritable challenge, mais l'aimer serait un enchantement.

— Décidément, tu me réserves bien des surprises, dit-elle. Je n'aurais jamais cru que tu étais du genre à avoir des secrets.

— Pourquoi, les agents fédéraux n'ont pas le droit d'avoir des secrets ?

— En général, ce sont les amants qui ont des secrets…

Elle n'eut pas le temps de terminer sa phrase, que les murs autour d'eux commencèrent à trembler. Au loin, ils entendirent un bruit sourd.

— Qu'est-ce que c'est ? demanda-t-elle en regardant autour d'elle. Que se passe-t-il ?

— Allons-y, il faut sortir d'ici !

Il était déjà presque sorti de l'eau, lorsqu'il se rendit compte qu'elle n'avait pas encore bougé. Elle avait l'air tétanisée par le bruit et le tremblement des roches. Apparemment, elle n'avait aucune idée de ce qui était en train de se passer ni du danger. Il fit marche arrière, la prit dans ses bras, et la ramena au bord du lagon, juste avant que l'eau ne se mette à gronder.

Le souffle court, il la plaqua avec lui contre le mur, et regarda la petite cascade se transformer en véritable chute du Niagara.

— La cascade est alimentée par une rivière, qui se répand dans un réservoir naturel, et lorsque ce réservoir déborde, voilà ce qui se passe. Cela peut devenir dramatique.

— Nous aurions pu nous noyer ? demanda-t-elle tremblante.

— Non, jamais je ne t'aurais laissée te noyer.

Ils étaient toujours tous les deux nus, et trempés. Robert tendit la main vers elle, caressa son visage, et posa ses lèvres sur les siennes. Ce n'était pas un baiser passionné, comme ceux de la nuit passée. Celui-ci avait quelque chose de presque désespéré. Son cœur se mit à battre de plus en plus fort, lorsqu'il sentit sa main se glisser dans sa nuque. Elle lui rendit son baiser avec fougue.

— J'ai envie de te faire l'amour, dit-il.

— J'en ai envie, moi aussi.

Elle noua ses bras autour de son cou, tandis qu'il la soulevait. Alors, elle écarta les jambes, et les noua autour de ses hanches, gémissant d'anticipation. Son besoin était presque primitif. Elle brûlait d'envie de le sentir en elle.

Ses bras enlaçant sa taille, il la plaqua contre le mur, et commença à la pénétrer. Swan était déjà moite de désir. Il plongea en elle, et elle noua un peu plus fort ses jambes autour de sa taille, s'accordant à son rythme.

190

Il sentait son souffle rauque contre son oreille. Elle se déhanchait contre lui. La violence de leur désir et la façon dont ils s'accordaient le stupéfiait.

Il attrapa ses fesses, pour la pénétrer plus profondément.

— Serre-moi fort, dit-il d'une voix rauque.

Ses ongles s'enfoncèrent dans ses épaules, et soudain, elle sentit une vague de plaisir monter en elle. La vague fut suivie par une autre, puis une autre encore. Elle se laissa aller contre sa poitrine, et soudain, sentit que lui aussi atteignait l'orgasme.

Durant quelques instants, elle laissa reposer sa tête contre son épaule, essayant de reprendre son souffle. Tous deux tremblaient des pieds à la tête. Finalement, ses jambes glissèrent, et elle posa pied à terre.

— Ça va ? demanda-t-il, en la serrant tout contre lui.

Elle lui répondit par l'affirmative, mais elle tremblait si fort, que soudain elle se sentit presque effrayée. Il venait de lui faire l'amour de façon si intense, qu'elle en était bouleversée.

Elle comprit qu'elle était tombée amoureuse de lui, mais qu'elle n'avait aucune idée de ses intentions.

13.

Robert jeta un coup d'œil à la pendule du tableau de bord. Le cadran indiquait 4 h 15 du matin. Swan dormait à côté de lui, dans la voiture, son siège complètement rabattu. De temps à autre, il l'entendait soupirer, et devinait que son sommeil n'était guère profond. Cela n'avait rien de surprenant, avec toutes les épreuves auxquelles ils devaient faire face. Et les choses n'étaient pas encore sur le point de s'arranger. Si jamais elles s'arrangeaient.

Pourtant, il soupçonnait que ce n'était pas seulement cela qui la tracassait. Elle était restée calme et silencieuse depuis l'épisode de la caverne, et lorsqu'il avait essayé de lui en parler, elle avait préféré mettre un terme à la discussion. Curieusement, elle qui voulait toujours parler de tout, restait muette.

Tout serait bientôt terminé. Dans une douzaine d'heures, la tournée ne serait plus que du passé, de même que cette histoire d'escroquerie. Qu'il ait réussi à la résoudre ou non, le FBI mettrait certainement la main sur eux d'ici là. Ensuite, que se passerait-il ?

Son plan était très simple. Il pariait sur la précipitation qui ferait agir le complice d'Arthur. C'était le dernier défilé, et l'ultime chance pour lui de récupérer l'argent. Ce complice avait réussi à transférer des millions de dollars, qui étaient passés presque inaperçus, et cela sans révéler son identité. Quelqu'un ayant accompli un coup aussi formidable, ne baisserait pas les bras aussi facilement.

Il était quasiment certain de son intuition. Si jamais il se trompait, alors tout serait terminé. Il ne pourrait pas cacher Swan indéfiniment. Tôt ou tard, le FBI les trouverait, et ils devraient faire face à de nombreuses charges.

Il ne pouvait pas laisser les choses se passer ainsi.

La route devant lui était aussi sombre qu'un tunnel. Il se concentra sur la conduite. Ce n'était pas juste pour lui qu'il s'inquiétait. Il avait pris ses décisions, incluant celle de quitter le FBI. Swan, elle, n'avait eu aucun choix dans toute cette histoire. Elle s'était fait arnaquer par Forrest, Erskine avait décidé qu'elle était la principale suspecte, mais c'était lui, Robert, qui avait pris cette affaire en charge, et l'avait forcée à y participer. A présent, c'était à lui de l'en sortir.

Elle gémit dans son sommeil. Il lui jeta un regard. Oui, il la sortirait de cette histoire, et la protégerait.

Ils avaient déjà parcouru plus de la moitié de leur trajet. Lorsqu'ils approcheraient de Seattle, il trouverait un motel dans les alentours de la ville, où ils pourraient tous deux prendre une douche, se changer, et peut-être dormir une heure ou deux. Son plan consistait à se travestir en vigile, afin de se mêler plus facilement à la foule qui viendrait voir le défilé.

Un plan très simple. Désespérément simple.

— Nous serons mieux pour parler ici, chuchota Gérard en conduisant Swan et Robert dans un coin derrière quelques portants sur lesquels reposait la collection de sous-vêtements.

Une fois qu'ils furent hors de vue de tout le monde, Gérard prit la main de Swan dans la sienne et la serra.

— Ne t'inquiète pas, je me suis occupé de tout, dit-il.

— J'en suis sûre, répondit-elle.

Une vague d'émotion la submergea. C'était si bon de revoir Gérard, qu'elle eut presque envie de pleurer ! Entourée de toute sa collection, elle avait l'impression que sa vie reprenait son cours normal. Malheureusement, ce n'était qu'une illusion. Cette journée était peut-être la plus importante de toute sa vie. Qui savait de quoi serait fait son lendemain ?

Néanmoins, elle ne pouvait pas se laisser aller. Elle inspira profondément, et remercia Gérard pour son travail et son soutien. Puis elle jeta un coup d'œil à Robert, qui était déjà en alerte. Il avait vérifié la boutique, et inspecté du regard le public venu pour le défilé. A présent, il examinait la cabine, l'équipe technique et les mannequins que Gérard avait recrutés.

Il ne vit aucun agent du FBI dans le coin, ce qui était déjà une bonne nouvelle, pas plus qu'il ne remarqua quelqu'un de suspect, ce qui, en revanche, n'était pas bon signe.

Il se retourna vers Gérard et elle, et regarda sa montre.

— Le défilé va commencer dans quelques instants. Récapitulons tout une dernière fois, d'accord ? Gérard, vous vous occupez de la sécurité de la cabine. Considérez chaque personne que vous ne connaissez pas comme suspecte, homme ou femme. Mais surtout, n'essayez pas de l'appréhender vous-même. Appelez-moi avec ceci.

Grâce à du matériel qu'il avait trouvé chez Jack, il avait mis au point un système de sécurité, qui pouvait être mis en marche par un simple bouton, sur une petite télécommande dont il avait fabriqué un exemplaire pour Gérard et Swan. L'appareil n'émettait aucune sonnerie, se contentant de vibrer, afin qu'il soit le seul à l'entendre.

194

— Faites bien attention à ne pas vous trahir, les avertit-il. Nous devons attraper le complice en train de voler l'argent. Sinon, nous n'aurons aucun motif pour son arrestation.

Il tourna son regard vers Swan.

— Pour toi, il s'agit d'un défilé comme les autres, mis à part le fait que tu dois garder ce petit ustensile dans ta main tout le temps, et si quelque chose te semble curieux, presse le bouton pour m'alerter. Il y a plus d'une centaine de témoins ici, donc tant que tu es sur le podium, tu es en sécurité. Je pense qu'il, ou elle, essaiera plus vraisemblablement de t'agresser après le défilé, et pour cela, il faut que nous lui en laissions le temps. Si tu n'as pas été approchée dans la demi-heure qui suivra le défilé, alors nous passerons au plan B.

Le plan B consistait à ce qu'elle laisse l'agenda quelque part bien en vue, où Robert pourrait le surveiller et voir qui viendrait s'en emparer. Bien sûr, n'importe qui pourrait être tenté de voler un luxueux agenda en cuir, et il y avait aussi toujours la possibilité qu'un bon samaritain le prenne, dans l'intention noble de le restituer à son propriétaire.

Swan n'appréciait pas ce fameux plan B et elle espérait que le complice s'en prendrait directement à elle, même si cela pouvait paraître effrayant.

— Vous avez des questions ? leur demanda Robert.

Elle secoua négativement la tête.

Bon sang ! Comment faisait-il pour garder autant le contrôle de lui-même, pour paraître si froid et si détaché de tout ? Pourquoi ne la prenait-il pas dans ses bras, pour la consoler et la rassurer ? Ils avaient à peine parlé depuis le début de la matinée, et visiblement, lui n'avait aucun mal à se concentrer sur autre chose que leur relation naissante.

— Il faut que j'aille dans la salle, dit-il. Tout va bien de ce côté ?

De nouveau, elle hocha la tête en le regardant. Comment avait-elle pu devenir si rapidement aussi proche de lui, plus qu'elle ne l'avait jamais été de personne dans sa vie, alors qu'en cet instant même, il ne semblait lui porter aucune attention particulière ?

Lorsqu'il eut disparu de sa vue, elle commença à examiner la collection pour se calmer les nerfs. Elle releva les yeux, en sentant le regard de Gérard posé sur elle, l'air inquiet.

— Tu as une mine affreuse, dit-il. Tu crois que tu vas tenir le coup ?

— Bien sûr. N'ai-je pas toujours fait face à toutes les difficultés ?

Gérard regarda du côté où Robert s'en était allé.

— C'est à cause de lui, n'est-ce pas ? Je t'avais bien dit qu'il te briserait le cœur.

— Si seulement c'était aussi simple que ça, soupira-t-elle.

Robert avait travaillé sur de nombreux cas, et avait effectué des centaines d'heures de surveillance, mais jamais jusqu'à cet instant, il n'avait été aussi concentré.

Swan était montée sur le podium depuis une bonne vingtaine de minutes, et le défilé se passait bien, mais il voyait bien qu'elle était nerveuse, et il sentait son cœur tambouriner dans sa poitrine en la regardant. Ils étaient devenus si proches en si peu de temps, qu'il sentait presque une connexion télépathique entre eux, à présent. Ce lien était si puissant, qu'il sentait chaque tremblement, chaque inflexion de sa voix à l'intérieur de lui-même ! Si un malfaiteur se trouvait dans la salle, et cherchait à s'en prendre à elle, il le détecterait immédiatement.

Il vérifia le vibreur dans la poche de sa chemise. C'était une bonne idée de s'être déguisé en vigile. Cela lui avait permis de vérifier tout le périmètre de la pièce, et d'inspecter la foule à plusieurs reprises. Jusqu'à présent, il n'avait rien remarqué de suspect, mais il savait qu'il était encore trop tôt. La première tentative d'agression avait été trop évidente. Cette fois, le malfaiteur serait plus discret. S'il s'agissait d'une femme, quelle meilleure solution que de se fondre dans le public, et d'applaudir le défilé, comme toutes les autres clientes présentes !

Alors que Swan commençait la dernière série de ses sketches, il fit une autre ronde dans la salle. S'il avait bien chronométré, il reviendrait au pied des marches juste au moment où Swan terminerait ses présentations. Soudain, le public se leva, et applaudit.

Robert s'arrêta et regarda autour de lui. Il ne remarqua rien d'étrange, mais intuitivement, il savait que le danger était là. Il vérifia toutes les sorties d'un coup d'œil circulaire. Personne ne venait d'entrer ou de sortir, mais la curieuse sensation ne le quitta pas.

Il en était certain. La personne qui voulait récupérer par tous les moyens l'agenda en possession de Swan se trouvait dans cette salle.

Swan se sentait mieux. Lorsqu'elle était montée sur scène, elle était nerveuse. A présent, alors que le défilé se déroulait parfaitement et que le public semblait apprécier ses modèles, elle s'autorisa un petit soupir de soulagement. Du coin de l'œil, elle vit Robert qui surveillait la foule. Il ne lui avait fait aucun signe, mais elle avait la conviction qu'il avait remarqué quelqu'un. Pourtant, elle ne pouvait se permettre d'y songer maintenant. Il fallait qu'elle termine ce défilé.

Lorsque le dernier mannequin quitta la scène, elle se retourna vers le public qui l'applaudissait à tout rompre. Pourtant, elle se sentait étrangement détachée de tout, comme si c'était une autre qu'elle qui vivait ces événements. Le stress de ces derniers jours semblait amenuiser ses sensations.

Robert s'était rapproché d'elle, et se trouvait à présent au pied des marches. Son visage ne reflétait aucune émotion, et elle se demanda s'il était aussi détaché qu'elle. Elle remercia une dernière fois le public, prit l'agenda sous le bras et quitta le podium. Aussitôt, elle fut entourée par les journalistes, et toutes les personnes qui voulaient la féliciter.

On lui posa les questions habituelles, et elle y répondit de son mieux, presque mécaniquement. Elle avait l'impression de vivre en pilotage automatique. Après tout, elle était sur le point de perdre tout ce qui avait de l'importance pour elle, sa société, sa liberté, peut-être même la vie. Et Robert.

Elle croisa son regard au milieu de la foule alors qu'il s'avançait dans sa direction.

— Avez-vous perdu quelque chose, madame Mc Kenna ? lui demanda-t-il quand il fut tout près. C'est la sécurité qui m'envoie.

Il la prit par le bras, et lui fraya un passage.

— Nous allons faire comme si tu avais perdu ton téléphone portable, chuchota-t-il.

Haussant la voix, Swan fit ce qu'il lui disait. Robert fit mine de prendre des notes. C'était une ruse suffisante pour garder les gens à l'écart, et cela lui donnait l'opportunité de lui demander s'il avait remarqué quelque chose.

— Comment te sens-tu ?

— Ça va, répondit-elle.

Pourtant, elle se sentait prête à craquer. De plus, elle était toute proche de lui, et lorsqu'elle vit son inquiétude dans ses yeux, son cœur se serra.

— Robert, est-ce que notre plan va fonctionner ?

Troublé par son anxiété, il tendit la main pour lui caresser la joue, mais se ravisa aussitôt.

— Ça va aller, ne t'inquiète pas. Nous allons nous en sortir. Nous allons changer de stratégie, je veux que nous passions au plan B, maintenant.

— Pourquoi ? Nous ne lui avons pas laissé assez de temps. Laisse-moi me balader encore un peu, parler avec les uns et les autres, et peut-être même m'isoler un peu. J'ai la télé-commande dans la poche.

— Il est hors de question que tu te retrouves seule.

Au ton de sa voix, elle comprit tout de suite qu'il se passait quelque chose. Peut-être trouvait-il finalement qu'il était trop dangereux pour elle de s'impliquer autant. Pourtant il fallait bien en passer par là. Ils ne pourraient pas attraper ce voyou sans prendre quelques risques.

— Qu'y a-t-il ?

— C'est juste une intuition, pourtant j'en suis presque certain. Notre bonhomme se trouve dans les parages.

— Alors, autant continuer, dit-elle en serrant l'agenda contre elle.

Soudain, elle sentit une curieuse sensation au bas de son ventre. Cela faisait déjà plusieurs jours qu'elle n'avait rien ressenti de tel.

— Je crois que tu ne vas pas aimer ce qui m'arrive, dit-elle.

Il fronça les sourcils en la regardant.

— Ne me dis pas que tu dois aller aux toilettes !

Elle le regarda, l'air contrit.

Robert savait qu'il était inutile de lui demander de se retenir. Il soupira.

— Très bien, il y a des toilettes pour femmes dans le grand couloir, près de la porte de sortie arrière. Vas-y, mais prends ton temps. Arrête-toi et parle à quelques personnes en chemin. Je ne serai pas très loin. Avant d'entrer, ouvre la porte et jette un coup d'œil à l'intérieur. Si la pièce est vide, vas-y, mais n'y reste pas plus de cinq minutes sinon je viendrai te chercher.

Elle lui fit un signe de la tête, et il s'éloigna, comme si leur discussion était terminée. Discrètement, il se dirigea là où il pourrait avoir une vue sur les toilettes des dames.

Swan fit exactement ce qu'il lui avait dit, discutant avec quelques clients, et s'arrêtant auprès d'une employée pour lui demander le chemin des toilettes. Lorsqu'elle s'y trouva, elle ouvrit la porte en grand, et se pencha pour ajuster l'une de ses sandales.

Robert espéra que c'était une ruse et qu'elle en avait profité pour vérifier le dessous des portes, afin de voir si quelqu'un se trouvait à l'intérieur. Lorsqu'elle pénétra dans les toilettes, il vérifia l'heure à sa montre.

Il reporta son attention sur les clients de la boutique. La grande majorité était des femmes. Les quelques hommes présents étaient soit des membres du personnel, soit des amis de Gérard. C'est pour cette raison qu'il remarqua immédiatement l'homme au chapeau gris, qui sortait des toilettes pour hommes. Il portait un costume, mais il l'aurait reconnu n'importe où.

C'était l'homme qui avait attaqué Swan.

Tout se déroula en quelques secondes. L'homme se trouvait de l'autre côté de la boutique, et regarda droit vers lui. En voyant l'expression sur son visage, Robert comprit qu'il l'avait reconnu, lui aussi.

Robert se précipita vers lui, bousculant presque une vieille dame sur son chemin.

Il n'allait pas laisser ce gredin s'échapper une nouvelle fois.

200

Les toilettes pour dames comprenaient trois cabines. L'une avait un écriteau « hors service » accroché à la porte, et les deux autres étaient libres. Elle était donc toute seule. L'urgence qu'elle avait ressentie d'aller aux toilettes avait mystérieusement disparu. Bizarre… Néanmoins, si cette indisposition pouvait disparaître à jamais, ce serait la seule bonne nouvelle qu'elle aurait eue depuis bien longtemps.

Elle se dirigea vers l'un des lavabos, et se regarda dans le miroir. Elle avait une mine horrible. Elle posa l'agenda à côté d'elle, enfouit la télécommande dans sa poche, et tourna le robinet. Un peu d'eau fraîche lui ferait du bien.

Avant qu'elle n'ait eu le temps de s'essuyer le visage, une femme âgée se précipita à l'intérieur de la pièce, regardant rapidement tout autour d'elle, comme si elle vérifiait les lieux. Swan prit l'agenda pour lui faire un peu de place. La femme fouilla fébrilement dans le sac de courses qu'elle tenait à la main, y cherchant certainement sa trousse de maquillage ou un paquet de mouchoirs en papier. Swan resta bouche bée, lorsqu'elle vit le pistolet dans sa main.

Horrifiée, elle regarda la femme braquer l'arme sur elle.

— Pas un bruit, ou je vous tue. Je vous jure que je le ferai, la prévint-elle.

Swan se sentit tétanisée. Machinalement, ses doigts se refermèrent, mais la télécommande n'était plus dans sa main. Elle l'avait mise dans la poche de sa robe, et n'osait pas s'en emparer maintenant. Mais Robert devait se trouver devant la porte. Il avait certainement remarqué cette femme entrer, et d'ici à quelques minutes, il comprendrait qu'elle était en danger. Elle s'exhorta à rester calme.

La femme avait une horrible expression sur le visage. Si elle réussissait à lui parler, à la calmer, ne serait-ce que pour quelques instants, cela laisserait à Robert le temps d'entrer. Mais comment s'y prendre ?

Robert se rapprochait de sa proie rapidement. Bien trop rapidement, à vrai dire. L'arme qu'il avait empruntée à Jack se trouvait dans un étui attaché à sa cheville droite. Impossible de s'en emparer sans s'arrêter, ce qui était hors de question, même si l'homme qu'il poursuivait ne semblait pas très rapide.

Quoi qu'il en soit, il n'avait pas l'intention de créer une vague de panique dans la boutique, en brandissant un pistolet au milieu du public.

L'homme allait passer la porte, avant qu'il ne puisse l'arrêter. Pourtant, l'inconnu s'arrêta soudain, et revint sur ses pas. Robert jeta un coup d'œil à la porte. Un vigile était-il sur le point d'entrer ?

Non, il n'y avait personne. Pas même un client.

C'était vraiment étrange. L'homme venait de se cacher derrière un portant de vêtements, et semblait le surveiller. A quoi diable jouait-il ? Il lui suffirait de quelques secondes pour le rattraper et pointer son arme sur lui, mais soudain quelque chose le fit s'arrêter net.

Il se passait quelque chose de bizarre. Il se força à se souvenir du moment où il avait aperçu cet homme, puis à ce qui s'était passé ensuite. Il avait failli bousculer une vieille dame. C'était le troisième des défilés de Swan auquel il assistait, et il avait vu de nombreuses femmes dans le public, mais jusqu'à présent, il n'avait remarqué aucune femme aussi âgée, et portant un grand cabas à provisions.

Et voilà que cet inconnu jouait au chat et à la souris avec lui.

Bon sang, c'était une mise en scène ! Cet homme était là pour faire diversion, et il venait de plonger dans le piège.

Il fit demi-tour et se précipita vers les toilettes pour dames.

Swan se rendit compte que la femme qui pointait l'arme sur elle, n'était pas aussi âgée qu'elle en avait l'air. Elle s'était déguisée pour ressembler à une vieille femme. C'était certainement la complice d'Arthur à la banque. Robert avait raison : le banquier avait monté son escroquerie avec une femme.

— Donnez-moi l'agenda, dit la femme.

Sa voix était calme, mais Swan y détecta de la panique.

A présent, Swan ne tremblait plus, mais sentait l'adrénaline courir dans ses veines. Le plan mis en place avec Robert était en train de se dérouler en direct. Cette femme était venue pour prendre le chèque, et il fallait l'arrêter avant qu'elle ne quitte la pièce. Il était hors de question de la laisser s'en aller !

Bon sang ! Où était Robert ?

Swan tenait l'agenda contre elle. Elle se souvint que la complice ne savait certainement pas qu'Arthur était en garde à vue. Elle devait penser qu'il l'avait doublée. Peut-être pouvait-elle tirer parti de cette situation.

— C'est Arthur qui vous a mêlée à tout ça, n'est-ce pas ? Il vous a utilisée, comme il m'a utilisée, moi.

— Je me fiche pas mal de savoir qui ce bâtard a utilisé. Je veux l'agenda. Maintenant !

Elle leva son arme, et Swan entendit un bruit métallique. C'était le bruit le plus terrifiant qu'elle n'ait jamais entendu de sa vie. Celui d'un pistolet que l'on armait.

Robert, où es-tu ?

— Attendez, cria Swan, je vais vous donner l'agen…

La porte de la pièce s'ouvrit brutalement, et claqua contre le mur carrelé. La femme poussa un cri, se précipita sur Swan, la tira devant elle, et pressa son arme contre sa nuque.

Au même instant, Robert se précipita dans la pièce, pointant son arme face aux deux femmes.

— FBI ! Ne bougez plus ! Posez votre arme et éloignez-vous d'elle.

— Sortez d'ici ! cria la femme. Sortez d'ici ou je la tue !

Le regard de Robert se posa sur le bras droit de Swan, celui qui tenait l'agenda, et elle comprit aussitôt ce qu'il voulait faire. C'était terriblement dangereux, mais elle devait lui faire confiance. Depuis leur intimité, ils avaient appris à communiquer d'un simple regard.

Elle lui lança l'agenda et il l'attrapa de sa main libre.

— J'ai ce que vous voulez, dit-il à l'inconnue. Laissez-la partir, et je vous le donnerai. Si jamais vous touchez un seul cheveu de sa tête, je vous abats immédiatement.

Derrière elle, Swan sentit la jeune femme trembler. Visiblement, elle n'avait pas l'habitude de ce genre de situation et était aussi effrayée qu'elle. Dans un tel cas, tout pouvait arriver.

— Montrez-moi le chèque, dit la femme.

— Je ne le ferai, dit Robert, que si vous pointez votre arme ailleurs que sur sa tête. Vous me rendez nerveux.

Swan sentit le canon du revolver s'enfoncer dans son épaule. Etait-ce mieux ou pire ? A présent, si une balle la blessait par accident, elle risquait fort d'atteindre sa colonne vertébrale, et de la laisser paralysée à vie.

Robert sortit un canif de sa poche, et découpa le dos de l'agenda. Il en sortit le chèque, et le brandit devant la femme.

— Vous le voyez ? Laissez-la partir, et je vous le donnerai.

Une voix masculine s'éleva de la cabine où était accroché l'écriteau « hors service ».

— C'est à moi que tu vas le donner, Robert !

Jo Harris ouvrit la porte, et sortit de la cabine, une arme à la main pointée droit sur Robert.

Swan ne savait pas qui était le plus surpris dans la pièce : elle, Robert, ou la femme dans son dos.

— Qui diable êtes-vous ? demanda l'inconnue.

— Jo ? Qu'est-ce que tu fais ici ?

— J'attendais que Swan vienne faire un petit tour aux toilettes, dit-il. Je savais qu'elle s'y rendrait, tôt ou tard. Par contre, je n'attendais pas un tel rassemblement !

Robert secoua la tête, semblant ne pas comprendre.

— Le chèque, Robert. Je ne les ai jamais échangés. Celui qui est contrefait est enfermé au bureau comme preuve. Celui-ci, c'est le vrai, et je le prends avec moi.

— C'est une plaisanterie, n'est-ce pas ? demanda Robert.

— J'aurais bien aimé, rétorqua Jo en soupirant. J'ai perdu de l'argent en Bourse il y a quelques mois. J'y avais placé toutes mes économies, et j'ai tout perdu. Je n'ai plus rien, Robert, et je ne suis plus un jeune homme. C'est ma dernière chance de pouvoir vivre la vie dont j'ai toujours rêvé. Mon père a travaillé toute sa vie dans la police, et il est mort sans jamais avoir réalisé un de ses rêves. Je ne veux pas finir comme cela, mon vieux.

— Et tu as envie de passer le reste de ta vie à regarder derrière ton épaule ? Tu sais bien qu'ils te chercheront. Ils feront de ta vie un véritable enfer.

— Ma vie est déjà un enfer, Robert. Je n'ai jamais eu envie d'être un flic. Je suis entré au FBI, parce que toute ma famille travaillait dans la police ou la justice.

— C'est exact, Jo. Et ton neveu est sur le point de venir travailler au FBI. Si tu ne veux pas penser à toi, pense un peu à lui.

Swan décida de se mêler à la conversation.

— Robert a raison, Jo. Comment pourrez-vous apprécier votre rêve, si vous devez voler pour le réaliser ? Vous n'aurez jamais cette tranquillité d'esprit dont vous parliez, pas de cette façon.

— Il n'est pas trop tard, Jo, insista Robert. Pose cette arme. Jusqu'à présent, tu n'as encore rien fait. Nous pouvons toujours arranger cela.

La femme fit un pas en arrière, entraînant Swan avec elle, et lança un regard à Jo.

— N'écoutez pas ces idiots, lui dit-elle. Ils vous mentent ! Que savent-ils de vos rêves ? Ils n'en ont rien à faire !

— Parce que vous, vous vous en souciez ? demanda Jo en jetant un coup d'œil dans sa direction.

— Je peux vous aider à obtenir ce que vous avez toujours voulu, répondit-elle. Prenez le chèque, et nous le partageons. J'ai les contacts nécessaires pour le transformer en cash, et quitter le pays. J'ai déjà un avion privé prêt à décoller. Si vous pouvez nous amener à l'aéroport en toute sécurité, je m'occuperai de tout le reste.

Jo l'écoutait en silence.

— C'est votre rêve, n'est-ce pas ? insista-t-elle. Je vous en donne plus de la moitié. Trois millions de dollars ! Je vous offre suffisamment d'argent pour vivre confortablement le reste de votre vie. Prenez ce chèque !

A présent, tous les regards étaient tournés vers Jo. Sa main tenant l'arme semblait hésiter, tandis qu'il regardait alternativement Robert et Swan.

— Décidez-vous ! cria la femme, avant de se tourner, l'air furieux vers Robert. Donnez-lui le chèque, ou je flanque une balle dans la tête de votre copine.

— Fais-moi voir ce chèque, Robert, dit Jo d'un ton ferme.

Swan en était malade. Jo allait prendre l'argent. Elle ne s'attendait pas à ce que Robert lui obéisse… Pourtant, il tendit le chèque en direction de Jo. Les deux hommes se regardèrent les yeux dans les yeux pendant un moment. La tension était presque palpable. Robert hocha très légèrement la tête.

Robert tendit le chèque à bout de bras, le tenant par un côté. Alors Jo tendit son arme, visa, et logea une balle au beau milieu du papier, y laissant un beau trou. Le fabuleux chèque de cinq millions de dollars était à présent inutilisable.

La femme hurla de rage. Elle poussa Swan contre le lavabo, et essaya de s'enfuir. Swan se sentit partir en arrière, mais réussit à attraper le revolver de la femme alors qu'elle s'enfuyait. Elle écarta son bras d'une main, et de l'autre, lui donna un coup dans le dos. L'inconnue s'écroula à terre.

— Bon sang, dit Robert, je ne te savais pas aussi douée !

Swan secoua sa main qui lui faisait atrocement mal. Elle n'avait jamais frappé quelqu'un ainsi. Harris avait déjà sorti ses menottes, et ligoté la femme. Puis il lui prit son portefeuille et sa carte d'identité qu'il tendit à Robert.

— Janet Marlow, présidente de la banque. On dirait que nous avons fait une belle prise !

— Je ne suis plus flic, tu te souviens ? dit Robert. C'est à toi de prendre les choses en main.

Il tendit l'arme de la femme à Jo.

— Je crois que je devrais te donner également la mienne. Suis-je en état d'arrestation ?

— Je ne suis pas au courant, lui rétorqua Jo avec un demi-sourire.

Tandis que Jo emmenait la femme à l'extérieur, Robert prit Swan dans ses bras.

— Ça va ? Tu n'es pas blessée ?

— Ça va.

— Je ne me le serais jamais pardonné, s'il t'était arrivé quelque chose.

Elle sourit, et se blottit dans ses bras. Si seulement elle pouvait y rester... pour l'éternité.

— C'est terminé ? Vraiment terminé ? demanda-t-elle.

Il caressa ses cheveux, et la serra un peu plus fort contre lui.

— Oui, c'est fini, et je n'ai jamais eu aussi peur de toute ma vie. Te voir ainsi menacée une arme contre la tête, a été le moment le plus terrifiant de toute mon existence.

Retenant ses larmes, elle leva la tête pour l'embrasser, et fut surprise de voir qu'il l'observait. Il la contemplait comme s'il la voyait pour la première fois.

— Je ne crois pas que je pourrais vivre sans toi, à présent, Swan. Crois-tu que tu pourrais me donner une chance ?

— Une chance ?

Son cœur tambourina dans sa poitrine.

— Une chance pour le futur. Une chance pour nous deux.

— Robert Gaines, est-ce que ceci est une proposition de mariage ?

Lorsqu'il hocha la tête, elle laissa échapper un gémissement.

— Oh non ! Pas ça. Pas maintenant !

— Pourquoi ? demanda-t-il, l'air anxieux.

Elle s'écarta de lui, et se précipita dans l'une des cabines, claquant la porte derrière elle.

— Ne t'en va pas, cria-t-elle. Je reviens tout de suite.

Il resta planté là, désemparé, lorsque soudain il comprit qu'elle était en train de répondre à un des besoins pressants dont elle était coutumière.

Il se mit à rire.

— En tout cas, monsieur Gaines, si c'était une proposition sérieuse, dit-elle de derrière la porte, la réponse est oui !

14.

Quatre mois plus tard…

Lynne Carmichael prit sa petite cuiller en argent et la fit tinter sur son verre de cristal, incitant chacun à se taire. Swan était assise à côté de Robert, sa main serrant tendrement la sienne. Un superbe diamant scintillait à son annulaire gauche.

Il détourna son regard d'elle, et observa tous les visages familiers, qui lui souriaient autour de la table. En ce beau samedi après-midi de la mi-décembre, tous leurs invités se trouvaient réunis dans les superbes jardins de la villa Carmichael. Gérard, qui avait tout organisé avec magnificence, se trouvait à sa gauche, tandis qu'à sa droite était assise sa sœur, Beth, à côté de laquelle se trouvaient la mère de Swan et Jack Mathias. Lynne présidait la table.

Lorsqu'elle eut capté l'attention de chacun, elle s'éclaircit la gorge.

— Merci à vous tous d'être venus, dit-elle.

Robert avait fait sa connaissance pour la première fois, lorsqu'elle avait témoigné au procès d'Arthur, bien qu'il n'ait pas été facile de la faire rentrer à temps à Los Angeles. Apparemment, elle s'amusait beaucoup à « négocier » avec Gvon Marcello, qui visiblement appréciait fort sa compagnie. D'ailleurs, depuis la fameuse croisière, ils ne se quittaient plus.

— Je suis très heureuse que vous ayez pu vous joindre à nous, pour célébrer le prochain mariage de Swan et de Robert, qui aura lieu dans moins de deux semaines, dit-elle. Je tiens également à remercier notre cher Gérard, d'avoir organisé cette soirée. Merci pour ton talent, et pour ton amitié.

Gérard leva son verre dans sa direction pour la remercier, et elle fit de même.

Cette soirée était une surprise que leurs amis avaient organisée pour eux, et Swan en était déjà profondément émue.

— Lorsque Swan m'a appris qu'elle épousait l'agent du FBI qui l'avait arrêtée, continuait Lynne, je ne savais pas quoi dire, ce qui comme vous ne l'ignorez pas, est plutôt rare dans mon cas. Puis j'ai rencontré Robert, et je dois dire que j'aurais bien aimé, moi aussi, être arrêtée par lui.

En souriant, elle leva son verre en direction de Swan.

— Longue vie à toi, ma chérie ! Je te dois tant ! Je sais que c'est grâce à toi, ainsi qu'à Gérard et à Robert, que notre société tient toujours la route. Et c'est aussi grâce à vous que cette magnifique villa fait toujours partie du patrimoine de la famille Carmichael.

Elle sembla retenir ses larmes un moment.

— A Swan, et à Robert, déclara-t-elle, en invitant chacun à se joindre à elle.

Les verres se levèrent et s'entrechoquèrent. Robert sentit son cœur se serrer, en voyant sa jeune sœur se lever pour dire quelques mots. Il était si fier d'elle. Elle était entrée dans l'armée, et avait obtenu son diplôme d'officier en faisant partie des meilleurs élèves de sa classe. Aujourd'hui, elle gravissait les échelons avec une ambition qui lui faisait honneur.

Son seul regret était que leur mère ne soit plus avec eux, pour voir quel chemin ses deux enfants avaient parcouru. Elle aurait été si fière.

Beth porta un toast aux fiancés, puis ce fut le tour de la mère de Swan. Robert vit que Swan était sur le point de fondre en larmes, mais heureusement, comme à son habitude, Gérard sauva la situation par une boutade.

Jack avait été invité, lui aussi, et à son tour il leur porta un toast.

— Je n'ai qu'une chose à vous dire, mes amis. Ne tenez jamais les choses pour acquises, et surtout, rappelez-vous que la vie est courte. Aimez-vous tendrement, passionnément, comme si chaque jour était le dernier. Parfois, c'est ce qui arrive.

Il hocha la tête, et s'assit. Robert le regarda et hocha lui aussi la tête. C'était tout ce dont ils étaient capables l'un et l'autre.

De nouveau, ce fut Gérard qui sauva la situation en proposant aux futurs mariés d'ouvrir leurs premiers cadeaux.

— Mon preux chevalier, murmura Swan, que serais-je devenue si tu ne m'avais pas enlevée pour me cacher dans la cabane de Jack ?

Robert quitta la route principale, et prit le petit chemin qui conduisait à la maison de Jack.

— Content d'avoir pu vous rendre service, madame.

Il avait hâte de se retrouver en tête à tête avec elle. La semaine avait été chargée depuis leur soirée de fiançailles, et ils avaient eu peu de temps pour se voir. Swan avait passé ses journées avec Lynne, Beth, et sa mère, à arpenter le centre-ville, pour mettre les dernières touches à leur mariage.

Il avait fini par se demander s'il l'aurait jamais pour lui tout seul, et c'était pour cela qu'il l'avait kidnappée.

Il fallait bien reconnaître que lui aussi avait été occupé. Il vivait à présent dans un appartement de la marina, qui deviendrait son foyer et celui de Swan, une fois mariés. Il avait ouvert une agence de sécurité qui se développait très vite. Il avait déjà recruté deux policiers en retraite, et devrait en engager deux ou trois autres très prochainement pour faire face à toutes les enquêtes que ses clients lui avaient confiées.

Tandis qu'ils s'approchaient de la maison, il se rendit compte que Swan était étrangement silencieuse.

— Tu ne regrettes pas d'être venue, au moins ? Tu sais, j'ai une surprise pour toi.

— Il me semble que c'est une habitude, lorsque nous sommes ici ! plaisanta-t-elle. J'étais juste en train de me rappeler la première fois que je suis venue ici. Je dois dire que je ne suis pas mécontente qu'Arthur Forrest ait été condamné à vingt ans de prison. En ce qui concerne Janet Marlow, j'ai bien peur qu'elle ait été embarquée malgré elle dans cette affaire. Tout comme nous.

— C'est vrai, et elle a fait ce qu'il fallait en témoignant contre Forrest. C'était sa première inculpation. Elle sortira dans cinq ans, si elle se comporte comme il faut. Cela aurait pu être bien pire.

— Et Jo ? J'espère qu'il se plaît dans son paradis exotique.

— J'ai reçu une lettre de la Barbade, il y a deux jours, mais je n'avais pas eu encore l'occasion de t'en parler. Il a pris un crédit et s'est acheté un petit bar sur la plage. Il est ravi.

Ils entamaient la dernière portion de route qui menait à la maison.

— Bon, c'est le moment de la surprise. Ferme les yeux, et ne les ouvre pas tant que je ne je te l'aurai pas permis.

Il roula encore quelques instants, puis s'arrêta et coupa le moteur. Il descendit de voiture, en fit le tour, et vint lui ouvrir la portière.

— Ça y est, tu peux regarder.

Elle ouvrit les yeux, et posa aussitôt les mains sur sa bouche, étouffant un cri.

La maison était enrubannée comme un gigantesque cadeau de Noël, et un gros nœud rouge décorait la porte d'entrée.

— Qu'est-ce que cela veut dire ? chuchota-t-elle.

Une enveloppe blanche était accrochée sur la porte, et elle se précipita pour la prendre. Robert la suivit.

Elle pensait que c'était un petit mot de sa part, mais elle n'était pas au bout de ses surprises.

« Fais-en un foyer, Swan. Pour Robert et pour toi. Vous le méritez tous les deux. Mes meilleurs vœux de bonheur et une longue vie à vous deux.

Jack. »

— Oh, mon Dieu, chuchota-t-elle, il nous a offert sa maison !

— Oui, c'est son cadeau de mariage, parce qu'il sait que nous y serons heureux.

— Je ne sais pas si tu comprends ce que cela représente pour moi, Robert, dit-elle d'une voix tremblante. Je n'ai jamais vécu dans une maison qui soit la mienne.

— C'est bien pour cela que je lui ai demandé de faire les papiers à ton nom, et à ton nom seul. D'ailleurs, les voici.

Il lui tendit les documents, qu'elle serra sur son cœur, les yeux brillant de larmes. Robert venait de lui offrir ce qu'elle avait espéré durant toute sa vie, et elle allait faire de même pour lui.

— Robert Gaines, mon foyer, c'est toi. Tu es ma vie, mon univers. Je te promets que, tant que je vivrai, tu ne seras plus jamais seul. Et j'ai bien l'intention de rester en vie, très, très longtemps.

— Viens ici, dit-il.

Il lui tendit les bras, et elle s'y précipita, souhaitant y rester à jamais.

Chère lectrice,

Vous nous êtes fidèle depuis longtemps?
Vous venez de faire notre connaissance?

C'est pour votre plaisir que nous avons
imaginé un rendez-vous chaque mois
avec vos auteurs préférés, vos
AUTEURS VEDETTE dans les
collections Azur et Horizon.

Les AUTEURS VEDETTE vous
donneront rendez-vous pour de
nouveaux livres vedette.

Pour les reconnaître, cherchez
l'étoile ... Elle vous guidera!

Éditions Harlequin

HARLEQUIN

LE FORUM DES LECTEURS ET LECTRICES

CHERS(ES) LECTEURS ET LECTRICES,

VOUS NOUS ETES FIDÈLES DEPUIS LONGTEMPS?

VOUS VENEZ DE FAIRE NOTRE CONNAISSANCE?

SI VOUS AVEZ DES COMMENTAIRES, DES CRITIQUES À
FORMULER, DES SUGGESTIONS À OFFRIR, N'HÉSITEZ
PAS… ÉCRIVEZ-NOUS À:
        LES ENTERPRISES HARLEQUIN LTÉE.
        498 RUE ODILE
        FABREVILLE, LAVAL, QUÉBEC.
        H7R 5X1

C'EST AVEC VOS PRÉCIEUX COMMENTAIRES QUE NOUS
ALLONS POUVOIR MIEUX VOUS SERVIR.

DE PLUS, SI VOUS DÉSIREZ RECEVOIR UNE OU
PLUSIEURS DE VOS SÉRIES HARLEQUIN PRÉFÉRÉE(S)
À VOTRE DOMICILE, NE TARDEZ PAS À CONTACTER LE
SERVICE D'ABONNEMENT; EN APPELANT AU
(514) 875-4444 (RÉGION DE MONTRÉAL) OU 1-800-667-4444
(EXTÉRIEUR DE MONTRÉAL) OU TÉLÉCOPIEUR
(514) 523-4444 OU COURRIER ELECTRONIQUE:
AQCOURRIER@ABONNEMENT.QC.CA OU EN ÉCRIVANT À:
        ABONNEMENT QUÉBEC
        525 RUE LOUIS-PASTEUR
        BOUCHERVILLE, QUÉBEC
        J4B 8E7

MERCI, À L'AVANCE, DE VOTRE COOPÉRATION.

BONNE LECTURE.

HARLEQUIN.

VOTRE PASSEPORT POUR LE MONDE DE L'AMOUR.

COLLECTION
HORIZON

Des histoires d'amour romantiques qui
vous mènent au bout du monde!

Découvrez la passion et les vives
émotions qu'apportent à la Collection
Horizon des auteurs de renommée
internationale!

Captivantes, voire irrésistibles, ces
histoires d'amour vous iront
assurément droit au coeur.

Surveillez nos trois nouveaux titres
chaque mois!

La **COLLECTION AZUR**
Offre une lecture rapide et

- ☑ *stimulante*
- ☑ *poignante*
- ☑ *exotique*
- ☑ *contemporaine*
- ☑ *romantique*
- ☑ *passionnée*
- ☑ *sensationnelle!*

COLLECTION AZUR...des histoires
d'amour traditionnelles qui vous
mènent au bout monde!
Cinq nouveaux titres chaque mois.

HARLEQUIN

COLLECTION
ROUGE PASSION

- Des héroines émancipées.
- Des héros qui savent aimer.
- Des situations modernes et réalistes.
- Des histoires d'amour sensuelles et provocantes.

**LAISSEZ-VOUS TENTER
par 3 titres irrésistibles
chaque mois.**

RP-1-R

♉ ♊ ♋ ♌
69 ♍

L'ASTROLOGIE EN DIRECT
TOUT AU LONG
DE L'ANNÉE.

(France métropolitaine uniquement)
Par téléphone 08.92.68.41.01
0,34 € la minute (Serveur SCESI).

Composé et édité par les
*éditions*Harlequin
Achevé d'imprimer en octobre 2004

BUSSIÈRE
GROUPE CPI

à Saint-Amand-Montrond (Cher)
Dépôt légal : novembre 2004
N° d'imprimeur : 44616 — N° d'éditeur : 10898

Imprimé en France